D0323410
LES
BIORYTHMES

Petit guide du bien-être

Les Biorythmes

Peter West

Könemann

Titre original :
In a Nutshell Biorhythms

Traduction : Ghislaine Tamisier-Roux,
pour mot.*tiff*, Paris

Réalisation : mot.*tiff*, Paris

Lecture : Véronique Basset

Fabrication : Ursula Schümer

Impression et reliure : Sing Cheong
Printing Co. Ltd.

Imprimé à Hong Kong, Chine

NOTE DE L'ÉDITEUR
Les informations contenues dans ce livre ne sauraient remplacer un avis autorisé. Avant toute automédication, consultez un praticien ou un thérapeute qualifié.

Crédits photographiques :
The Freud Museum, The Hulton Getty Picture Collection, Image Bank, The Stock Market, Telegraph Colour Library.

Remerciements particuliers à :
Clare Bayes, Andrew Brown, David Burton, Guy Corber, Maia, Ozora, Hasia, Aaron Curtis, Carly Evans, Helen Furbear, Simon Holden, Wendy Oxberry, Patricia Sawyer, Emma Scott *pour leur concours photographique*.

ISBN : 3-8290-2076-7
10 9 8 7 6 5 4 3 2 1

Sommaire

Que sont les biorythmes ?

LES BIORYTHMES SONT *des variations physiologiques continues qui se répètent indéfiniment en formant des cycles mesurables. Prendre conscience de leur existence vous aidera à mieux planifier votre existence et à la vivre de façon plus positive. Les rapports de cause à effet de ces cycles sont certes peu apparents, mais les biorythmes exercent une influence certaine sur les comportements humains, plus ou moins marquée suivant les individus.*

LES EFFETS DES BIORYTHMES

S'il existe trois rythmes biologiques principaux, nous sommes cependant soumis à l'influence d'une multitude d'autres cycles, internes ou externes. Nous en connaissons certains, auxquels nous nous sommes adaptés, mais en ignorons bien d'autres. Ces variations rythmiques nous accompagnent tout au long de notre vie, et si nous ne pouvons pas vraiment agir sur leur régularité, il est en revanche possible de nous y adapter.

Nous avons en effet peu d'emprise sur ces forces biorythmiques. Prenons l'alternance jour-nuit par exemple. Nous nous y sommes adaptés, sans en mesurer nécessairement toutes les implications. Bien des gens, d'ailleurs, passent outre, en exploitant d'autres sources d'énergie,

CI-DESSOUS ***Pour travailler tard le soir, il faut résister au cycle normal du repos.***

l'électricité notamment, ce qui leur permet de travailler la nuit, empiétant ainsi sur le temps normal de sommeil. De même, le cycle des saisons ne passe pas inaperçu, et nous nous y sommes adaptés.

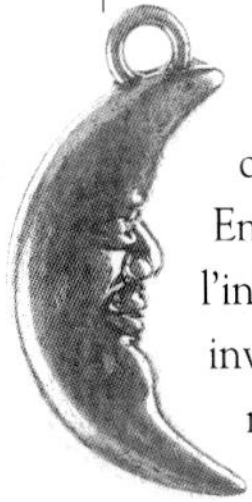

Et en mer, si nous ignorons l'influence des marées, c'est à nos risques et périls. En revanche, une fois admise l'influence que ces forces invisibles exercent sur nos vies, nous pouvons apprendre à en tirer parti.

CI-DESSUS ET À DROITE
L'alternance jour-nuit est le plus évident de ces cycles.

CI-DESSOUS
Impossible d'ignorer les saisons, qui influencent la nature dans son ensemble.

LES TROIS CYCLES PRINCIPAUX

Il existe trois cycles biorythmiques principaux qui influencent profondément notre vie quotidienne :

Le cycle physique
D'une durée de 23 jours, il influe sur nos réactions physiques.

Le cycle émotionnel
D'une durée de 28 jours, il gouverne notre vie émotionnelle.

Le cycle intellectuel
D'une durée de 33 jours, il agit sur nos perceptions intellectuelles.

Ces trois cycles concomitants sont indépendants, bien qu'il leur arrive d'être en phase.

Chaque rythme compte trois journées critiques, au début, au milieu (lorsque la phase s'inverse et devient négative) et à la fin du cycle, cette dernière marquant également le début de la phase positive suivante.

C'est au cours des périodes de transition qui marquent le passage d'une phase à l'autre que nous sommes le plus vulnérable. Toutefois, en calculant nos propres rythmes et en les reportant sur une courbe, nous voyons apparaître une multitude de schémas comportementaux prévisibles.

À DROITE ***Nous nous sentons souvent en pleine forme durant la première moitié de notre cycle physique.***

À GAUCHE ***Notre vie sentimentale est influencée par notre cycle émotionnel.***

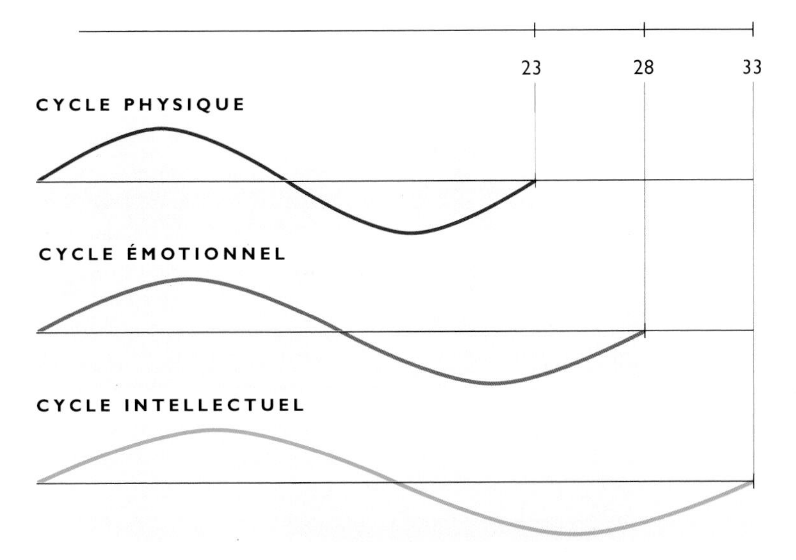

CI-DESSUS *Nos vies quotidiennes sont dominées par trois cycles principaux, les cycles physique, émotionnel et intellectuel.*

CI-DESSOUS *Le début, le milieu et la fin de chaque cycle sont des jours critiques, car la phase du cycle s'inverse.*

CI-CONTRE *Avec ses 33 jours, le cycle intellectuel est le plus long des trois.*

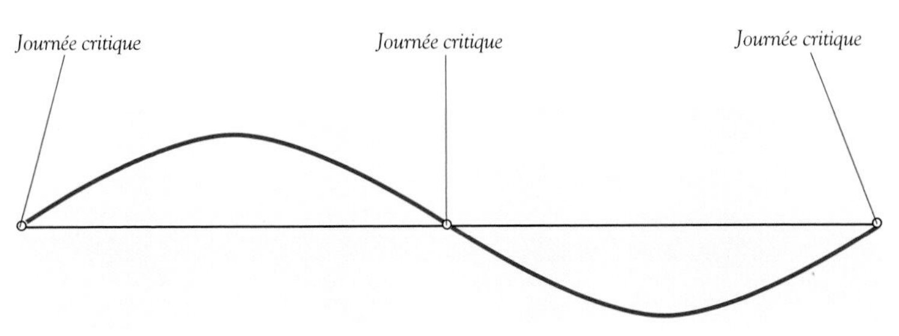

Un peu d'histoire

IL Y A UNE CENTAINE D'ANNÉES, *Wilhelm Fliess, célèbre oto-rhino-laryngologiste berlinois, constata l'existence de modèles comportementaux inhabituels mais réguliers tant sur le plan physique qu'émotionnel, tous deux significatifs. Poursuivant ses recherches, il découvrit un cycle physique d'une durée de 23 jours, puis un cycle émotionnel de 28 jours.*

CI-DESSUS ***Wilhelm Fliess, l'un des premiers à constater l'existence des biorythmes.***

D'AUTRES DÉCOUVERTES

À peu près à la même époque, le professeur Hermann Swoboda, éminent psychologue viennois, aboutissait de son côté aux mêmes conclusions. Plus tard, dans les années 1920, Friedrich Teltschler, docteur en ingénierie et génie des mathématiques, découvrit le cycle intellectuel de 33 jours. Au même moment, les recherches des professeurs Rexford Hersey et Michael John Bennett de l'université de Pennsylvanie parvenaient au même résultat.

CI-CONTRE ***Hermann Swoboda, autre pionnier dans le domaine des biorythmes.***

On ignora longtemps la signification de ces biorythmes parce que personne ne réussissait à mettre au point une méthode simple pour les calculer.
Depuis, quelques passionnés ont tout juste réussi à entretenir un certain intérêt pour le sujet. Les calculs ont cependant été simplifiés (*voir* page 22 et suivantes). D'autres cycles qui affectent nos modèles comportementaux ont par ailleurs été mis en évidence, mais aucun n'a suscité le même intérêt que la découverte des cycles physique, émotionnel et intellectuel.

CI-CONTRE ***Le rythme cardiaque est un facteur déterminant de notre comportement.***

L'étude de nos biorythmes nous permet de prévoir le moment où nous sommes susceptibles d'être « en déséquilibre », et de nous adapter à ces changements d'humeur particuliers. Nous pouvons ainsi gérer notre journée de travail en fonction de nos réserves d'énergie du moment. Il est en effet préférable de ne pas foncer tête baissée, car nous sommes davantage en mesure de contrôler la situation lorsque nous savons à quoi nous attendre.

LE FONCTIONNEMENT DES BIORYTHMES

Parmi les autres cycles qui nous affectent, citons le rythme cardiaque. Notre cœur bat en moyenne 106 380 fois au cours d'une journée normale, mais toute modification de nos habitudes ou de notre état général fait fluctuer notre rythme cardiaque, ce qui se répercute sur la façon dont nous réagissons face aux gens et aux situations que nous rencontrons. Surpris, nous avons peur, notre cœur se met à battre plus vite, et il faut un certain temps pour que son rythme redevienne normal une fois le danger écarté. Que nous soyons anxieux ou trop sûrs de nous, notre rythme cardiaque s'en ressent, et nous risquons de commettre des erreurs. Nous en sommes tous conscients.

CI-DESSOUS ***Connaître ses biorythmes permet de se préparer pour les moments difficiles.***

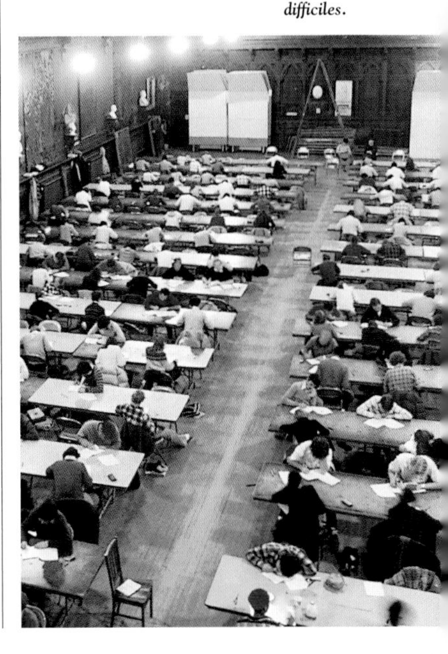

Le fonctionnement des biorythmes

UN CYCLE *est une succession récurrente d'événements. Le schéma ci-dessous représente un cycle sous la forme d'une courbe sinusoïde. Celle-ci commence par monter, puis descend jusqu'à son point le plus bas. L'écart entre les deux extrêmes représente sa durée ou sa fréquence, et sa hauteur totale indique son amplitude. Lorsque les ondes se succèdent, la fin du premier cycle coïncide avec le point de départ du suivant.*

LA PREMIÈRE MOITIÉ

Chacun de nos rythmes biologiques commence le jour de notre naissance et se poursuit jusqu'à notre mort. La première moitié d'un cycle est toujours une phase ascendante ou positive. C'est généralement à ce moment-là que nos performances sont les meilleures, et elles restent élevées jusqu'à ce que le cycle entre dans sa seconde phase.

CI-CONTRE
Le cycle se répète tout au long de l'année.

CI-DESSOUS À GAUCHE
Chacun de nos biorythmes commence à notre naissance.

CI-CONTRE
La première moitié de chaque cycle est active et positive.

LA SECONDE MOITIÉ

C'est la phase régénératrice du biorythme, au cours de laquelle nous reconstituons nos réserves énergétiques. Le corps se repose et se prépare pour la phase positive suivante.

À DROITE
La seconde moitié de chaque cycle consiste en une période de régénération.

EN BAS À DROITE
Nos biorythmes nous accompagnent tout au long de notre vie.

LES JOURS CRITIQUES

Connus sous le nom de « jours critiques », le premier jour d'un cycle, celui du milieu et le dernier/ premier du cycle suivant, sont toujours des moments délicats. En fait, il ne se produit généralement rien de « critique », à l'exception du changement de phase lui-même.

On peut comparer ces journées critiques au moment où l'on éteint ou bien où l'on allume une ampoule électrique. Lorsque l'on appuie sur l'interrupteur, l'ampoule est soudain parcourue par de l'énergie. Elle passe d'une phase négative, avec une énergie nulle, à une phase positive où elle brille de tous ses feux. C'est généralement à ce moment-là qu'elle grille. Toutefois, il arrive aussi qu'elle grille lorsqu'on l'éteint et qu'elle est soudain privée d'électricité, c'est-à-dire lorsqu'elle passe de la phase positive à la phase négative. Elle grille alors parce qu'au bout d'un certain temps, la fluctuation soudaine d'énergie ou le changement brutal de température l'affaiblit.

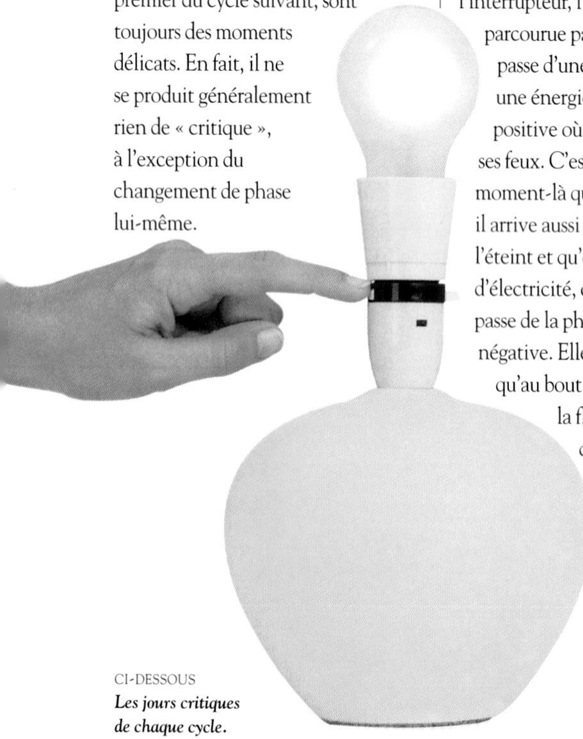

CI-CONTRE ***Au cours d'une journée dite « critique », le changement de phase est aussi soudain que si l'on appuyait sur un interrupteur.***

CI-DESSOUS ***Les jours critiques de chaque cycle.***

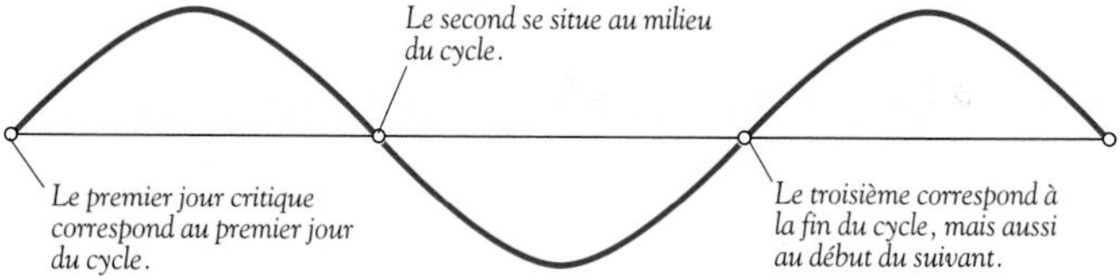

Le second se situe au milieu du cycle.

Le premier jour critique correspond au premier jour du cycle.

Le troisième correspond à la fin du cycle, mais aussi au début du suivant.

LES JOURS DE CHANGEMENT DE PHASE

Il en va de même pour les êtres humains. Pendant les périodes d'inversion de phase, nous sommes plus vulnérables, nous perdons notre équilibre et nous avons tendance à réagir moins vite : au cours de ces périodes transitoires, les accidents sont à craindre. Au cours de la première phase d'un cycle, dite positive, nous nous sentons plus vifs, plus sociables, plus à l'écoute.

Au cours de la seconde moitié du cycle (phase négative), c'est l'inverse. Et ce sont les jours dits critiques, lorsque la phase s'inverse, que nous sommes le plus vulnérables. Mieux vaut remettre à plus tard (après l'inversion de phase) les activités fatigantes, ainsi que les décisions importantes, car nous risquons d'être peu coopératifs, enclins à prendre de mauvaises décisions. Il est donc conseillé de ne pas se surmener sur le plan physique et de ne pas se laisser abattre par des détails sans importance.

CI-DESSOUS ***À mi-cycle, nous avons tendance à être maladroit.***

CI-CONTRE ***Nous raisonnons mieux en dehors des jours d'inversion de phase.***

Le cycle physique de 23 jours

LA PREMIÈRE PHASE *du cycle physique donne de l'énergie à revendre. Vous vous sentez au mieux de votre forme. Vous ne rechignez devant aucun effort et vous êtes prêt à exploiter au mieux votre potentiel.*

LA PHASE POSITIVE

N'hésitez pas à vous lancer dans la plupart des activités physiques sans crainte de vous faire un claquage, mais attention néanmoins à ne pas trop en faire. Le septième jour, situé au milieu de la première phase, est une « mini-journée critique » qui correspond au sommet de la courbe. Vous êtes alors au mieux de votre forme physique et capable de tout supporter. Profitez-en bien et organisez votre temps et vos activités en conséquence.

CI-DESSUS ***Les capacités physiques suivent une courbe immuable.***

CI-DESSOUS ***Le 7e jour correspond au sommet de la courbe du cycle physique.***

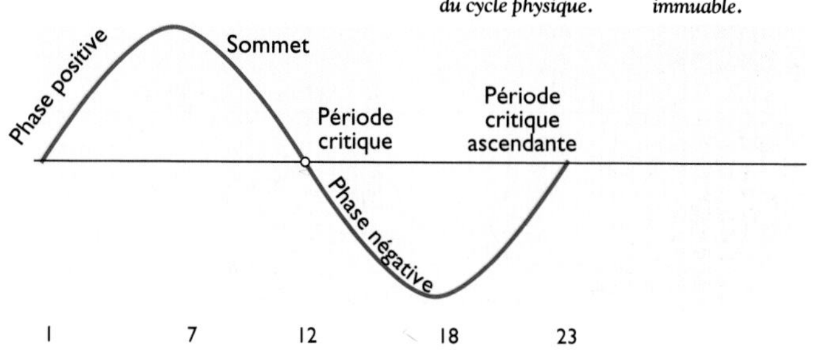

LA PHASE NÉGATIVE

Après ce pic, la courbe s'inverse pour franchir l'axe horizontal le 12e jour. Le cycle entre alors dans sa phase négative. Ce 12e jour est une journée critique, et vous devez être prudent. Vous risquez en effet de vous tromper, de vous sentir légèrement déstabilisé, et de réagir beaucoup plus lentement qu'à l'ordinaire : attention aux accidents !

Au cours de la seconde phase, la courbe continue à descendre jusqu'au 18e jour, qui correspond au creux de la vague. Économisez votre énergie et prenez les choses comme elles viennent, l'une après l'autre.

CI-CONTRE ***Lorsque vous êtes au creux de la vague du cycle physique, n'en faites pas trop.***

CI-DESSUS ***Les jours critiques, vous risquez de perdre un peu l'équilibre.***

LA PHASE ASCENDANTE

Puis la courbe commence à remonter, reprenant peu à peu de l'énergie jusqu'à ce qu'elle recoupe l'axe horizontal le 23e jour, deuxième journée critique. Vous allez vous sentir à nouveau en pleine forme, mais attention, ne soyez pas trop sûr de vous, un accident est si vite arrivé ! Certaines personnes ressentent réellement un afflux d'énergie physique les jours critiques positifs.

ATTENTION

Certaines personnes traversent une brève période de léthargie au cours de la phase ascendante située en fin de cycle. Cela peut se traduire par une grande fatigue inexpliquée. Dans ce cas, inutile de lutter : installez-vous dans un fauteuil et reposez-vous pendant une heure ou deux, jusqu'à ce que vous vous sentiez mieux.

Le cycle émotionnel de 28 jours

LE CYCLE ÉMOTIONNEL *affecte grandement l'état d'esprit et la sociabilité. Pendant la première phase, vous êtes optimiste, de belle humeur, coopératif ; votre créativité s'exprime librement et vous brillez en société.*

CI-DESSUS ***C'est le 8e jour que l'on se sent le mieux en société.***

CI-DESSOUS ***Le cycle émotionnel de 28 jours.***

Le 8e jour, au milieu de cette première phase, correspond à la mini-période critique du sommet de la courbe. C'est là que vous êtes le plus sensible, tant sur le plan sociable qu'émotionnel. La courbe s'inverse ensuite pour franchir l'axe horizontal le 15e jour, journée critique proprement dite. Vous êtes alors facilement tendu, irritable ou hypersensible, facilement stressé. Attention aux accidents.

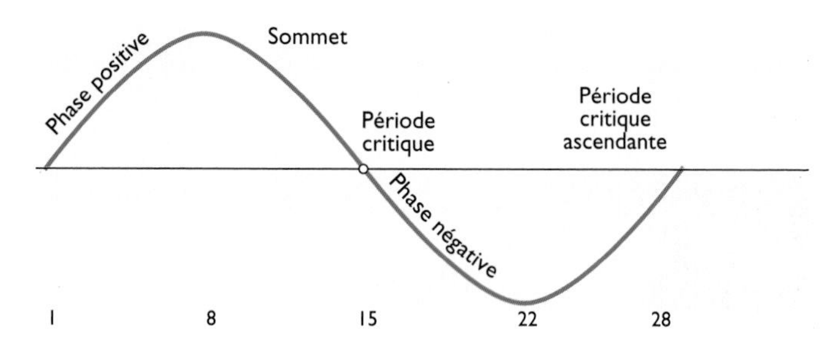

LA PHASE NÉGATIVE

La courbe continue à descendre et atteint son point le plus bas le 22e jour, seconde mini-journée critique. Vous risquez de vous sentir exclu, vulnérable, à cran. C'est le pire moment pour votre vie relationnelle. Il est donc préférable de passer cette brève période seul. Si cela n'est pas possible, essayez d'éviter toute situation conflictuelle.

CI-DESSOUS ***La sensibilité aux critiques décroît à la fin du cycle.***

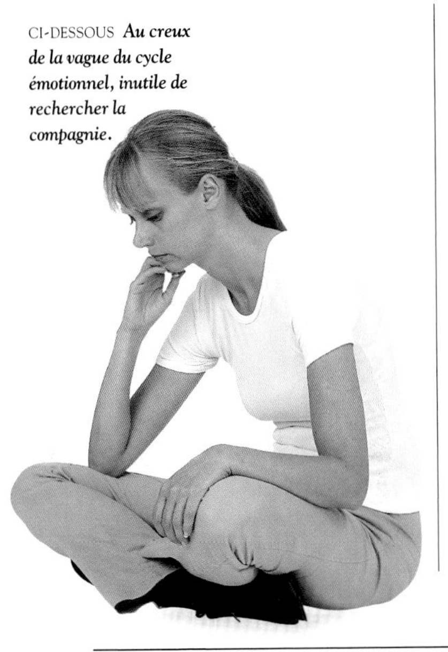

CI-DESSOUS ***Au creux de la vague du cycle émotionnel, inutile de rechercher la compagnie.***

LA PHASE ASCENDANTE

Le cycle recommence à monter et vous reprenez goût aux échanges relationnels et à la vie en général. La courbe franchit l'axe horizontal le 28e jour, seconde journée critique du cycle. Vous risquez alors de réagir de façon excessive aux critiques. Vos émotions peuvent par ailleurs embrouiller votre jugement : vous réagissez avec le cœur, et non avec la tête. Cette journée critique est toutefois facile à repérer : en effet, avec un cycle de 14 jours exactement, elle tombe donc toujours le même jour, une semaine sur deux.

Le cycle intellectuel de 33 jours

CE CYCLE *régit le raisonnement, la perception des choses et les facultés intellectuelles. C'est au cours de sa phase positive que les capacités logiques et mentales sont à leur summum. Les idées affluent, les problèmes sont facilement résolus et les périodes studieuses tout à fait profitables.*

LA PHASE POSITIVE

C'est le 9e jour de ce cycle, mini-journée critique, que votre intelligence est la plus vive. C'est là que votre perception est la plus fine, votre esprit le plus alerte, et il vous est facile de vous attaquer efficacement à plusieurs problèmes à la fois. C'est le moment idéal pour entreprendre quelque chose d'entièrement nouveau.

CI-DESSOUS ***Le cycle intellectuel de 33 jours.***

CI-CONTRE ***C'est le 9e jour que vous avez l'esprit le plus vif.***

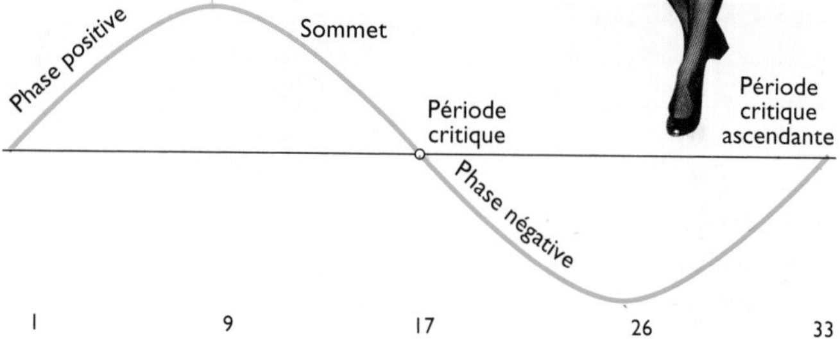

Phase positive
Sommet
Période critique
Période critique ascendante
Phase négative
1
9
17
26
33

CI-CONTRE ***Au cours de la phase négative, il arrive que vous ayez du mal à vous exprimer.***

LA PHASE NÉGATIVE

Après ce sommet, la courbe s'inverse et franchit l'axe horizontal le 17e ou le 18e jour, journée critique. En entrant dans la phase négative, vous risquez de prendre de mauvaises décisions ou d'être distrait. Peut-être aurez-vous du mal à exprimer vos idées, et de simples malentendus peuvent être source d'erreurs. La courbe atteint son point le plus bas le 26e jour. Vous risquez alors de voir votre mémoire s'embrouiller, de perdre votre bon sens et de commettre d'inutiles erreurs.

LA PHASE ASCENDANTE

Puis la courbe recommence à monter, et vous retrouvez peu à peu vos esprits. C'est la période idéale pour faire le point ou revoir d'anciens documents, mais attendez encore un peu avant d'aborder un nouveau dossier. La courbe franchit à nouveau l'axe horizontal le 33e jour, seconde période critique. Le cycle intellectuel étant plus long que les cycles physique et émotionnel, comptez plutôt 48 heures pour la phase critique, et ne vous attaquez pas à un problème épineux avant que ces périodes délicates soient vraiment révolues.

CI-DESSOUS ***La seconde phase ascendante du cycle intellectuel est un bon moment pour refaire le point sur un ancien dossier.***

Le calcul des biorythmes

AVEC CE GUIDE, *vous allez pouvoir calculer vos biorythmes pour n'importe quelle date à l'aide d'une simple calculette. Une fois que vous aurez déterminé les données correspondant à chacun des cycles, il vous sera facile de tracer vos propres courbes biorythmiques, ou celles d'autrui.*

LES COURBES BIORYTHMIQUES

L'utilisation de ces courbes vous aidera à mieux organiser votre vie, mais aussi à mieux comprendre les sautes d'humeur inexpliquées ou les actes saugrenus de votre entourage. Peut-être vous posez-vous des questions sur l'étrange comportement d'un ami à une certaine date, à moins que vous ne souhaitiez calculer votre biorythme en vue d'une activité précise.

CI-CONTRE
Même un génie comme Albert Einstein était influencé par son horloge biologique.

Si vous connaissez la date de naissance de la personne concernée, établir sa courbe biorythmique est un jeu d'enfant.

CI-DESSUS
Pour calculer les biorythmes de quelqu'un, sa date de naissance et une calculette suffisent.

Les passionnés d'histoire peuvent calculer les biorythmes des héros du passé afin de mieux comprendre leurs faits et gestes. Vous trouverez à la fin de ce livre des grilles vierges que vous pourrez reproduire pour vous entraîner à tracer des courbes. Par ailleurs, les courbes de certains personnages célèbres qui ont marqué l'histoire sont analysées pages 54 à 57 ; vous verrez ainsi comment la connaissance de leurs biorythmes peut nous permettre de mieux comprendre les événements appartenant au passé.

COMMENT CALCULER LES BIORYTHMES ?

Vous pouvez utiliser la formule ci-dessous pour calculer les biorythmes de n'importe quelle personne, vivante ou morte, à tout moment de sa vie, y compris dans l'avenir.

Effectuez vos calculs de base pour le premier jour d'un mois, car cela vous permettra d'avancer ou de reculer assez facilement dans le temps. Servez-vous des tables de la colonne de droite pour déterminer le nombre total de jours.

- Prenez d'abord la date de naissance de la personne en question (jour, mois, année) pour calculer le nombre exact de jours qui se sont écoulés de sa naissance au jour qui vous intéresse. Ajoutez les jours supplémentaires pour les années bissextiles, et n'oubliez pas que les mois n'ont pas tous le même nombre de jours.

- Pour calculer le cycle physique, divisez ce nombre par 23.

- Pour calculer le cycle émotionnel, divisez-le par 28.

- Pour calculer le cycle intellectuel, divisez-le par 33.

- Vous obtiendrez à chaque fois un nombre décimal avec plusieurs chiffres après la virgule.

- Pour déterminer à quelle phase biorythmique correspond la date qui vous intéresse, multipliez cette décimale respectivement par 23, 28 et 33, puis arrondissez les résultats obtenus au nombre entier le plus proche (vous trouverez un exemple de calcul page suivante).

CALCULS ANNUELS

Cette table vous permettra de savoir immédiatement à combien de jours correspond un certain nombre d'années (jusqu'à 90). Utilisez-la pour faire les calculs de base en fonction de l'âge de la personne dont le biorythme vous intéresse.

1 x 365 = 365	10 x 365 = 3650
2 x 365 = 730	20 x 365 = 7300
3 x 365 = 1095	30 x 365 = 10950
4 x 365 = 1460	40 x 365 = 14600
5 x 365 = 1825	50 x 365 = 18250
6 x 365 = 2190	60 x 365 = 21900
7 x 365 = 2555	70 x 365 = 25550
8 x 365 = 2920	80 x 365 = 29200
9 x 365 = 3285	90 x 365 = 32850

ANNÉES BISSEXTILES DEPUIS 1752

N'oubliez pas d'ajouter un jour par année bissextile écoulée. Pour vous faciliter la tâche, le tableau ci-dessous dresse la liste des années bissextiles depuis la moitié du XVIIIe siècle.

1756	1760	1764	1768	1772	1776
1780	1784	1788	1792	1796	1804
1808	1812	1816	1820	1824	1828
1832	1836	1840	1844	1848	1852
1856	1860	1864	1868	1872	1876
1880	1884	1888	1892	1896	1904
1908	1912	1916	1920	1924	1928
1932	1936	1940	1944	1948	1952
1956	1960	1964	1968	1972	1976
1980	1984	1988	1992	1996	2000

EXEMPLE

Calculons les biorythmes d'une personne née le 2 octobre 1977 pour la date du 21 décembre 1999, afin de voir quel genre de Noël cette personne va passer.

1 Le 21 décembre 1999, cette personne a 22 ans + les jours supplémentaires, ce qui donne :

20 ans = 7 300
\+ 2 ans =730
\+ jours supplémentaires = 80
\+ années bissextiles = 5
\+ un jour = 1
= 8 116 jours depuis sa naissance.

2 Avec votre calculette, divisez ce nombre par 23 (pour le cycle physique), puis par 28 (pour le cycle émotionnel), et enfin par 33 (pour le cycle intellectuel).

8 116 ÷ 23 = 352,86956
(cycle physique)

8 116 ÷ 28 = 289,85714
(cycle émotionnel)

8 116 ÷ 33 = 245,93939
(cycle intellectuel)

3 Multipliez chaque reste décimal par le nombre de jours des divers cycles. Vous saurez ainsi à quel stade des cycles biorythmiques correspond la date en question.

Ainsi
0,86956 x 23 = 19,99988
le nombre entier le plus proche est 20, la date correspond donc au 20e jour du cycle physique.

0,86956 x 28 = 23,99992
le nombre entier le plus proche est 24, la date correspond donc au 24e jour du cycle émotionnel.

0,86956 x 33 = 30,99987
le nombre entier le plus proche est 31, la date correspond donc au 31e jour du cycle intellectuel.

CI-CONTRE *Dans cette dernière partie du calcul, on arrondit le résultat au nombre entier le plus proche.*

ANALYSE

Noël ne s'annonce donc pas très bien pour notre ami, dont les biorythmes présentent des jours critiques les 24, 25 et 26 décembre. Le jour de l'an, en revanche, sera faste car tous ses cycles seront alors en phase positive (ce qui se traduit par PPP sur le graphique de la page 31).

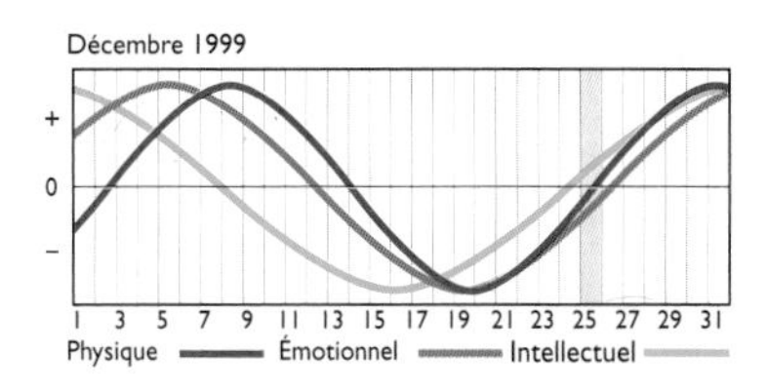

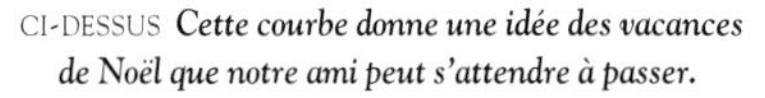

CI-DESSUS ***Cette courbe donne une idée des vacances de Noël que notre ami peut s'attendre à passer.***

COMMENT TRACER UNE COURBE BIORYTHMIQUE

Pour tracer cette courbe, prenez les biorythmes l'un après l'autre.

Dans le cas de notre sujet, le 21 décembre correspond donc au 20e jour de son cycle physique. Or, ce cycle présente un point critique le 12e jour, puis un second le 1er jour du cycle suivant (*voir* pages 16-17), de sorte que le 20e jour du cycle n'est qu'à 4 jours d'un point critique, situé dans la deuxième moitié du cycle, dite négative.

Nos calculs correspondant au 21 décembre, la prochaine journée critique surviendra donc le 25 décembre.

Analysez maintenant les cycles émotionnel et intellectuel de la même façon (*voir* pages 18-21), en comptant le nombre de jours qui séparent la date étudiée des jours critiques de ces cycles. Tracez ensuite les sinusoïdes avec un rapporteur et des crayons de couleurs différentes. Cette méthode est également valable pour tracer une courbe au premier jour d'un mois.

CI-CONTRE ***Vous pouvez planifier vos activités en fonction de vos cycles biorythmiques.***

Compatibilité

DANS QUELLE MESURE *êtes-vous compatible avec votre conjoint ? Un déphasage biorythmique explique peut-être ces journées noires où vous avez l'impression de ne pas être sur la même planète.*

CI-CONTRE ***Vous pouvez déterminer le degré de compatibilité de votre couple en comparant vos courbes respectives.***

VOTRE COUPLE

Pour déterminer la compatibilité biorythmique de votre couple, vous devez calculer le nombre de jours de décalage entre votre horloge biologique et celle de votre conjoint. Chaque jour représente un même pourcentage de différence biorythmique. La façon la plus simple de déterminer cette différence consiste à compter les jours qui séparent vos journées critiques de celles de votre partenaire.

EXEMPLES DE COMPATIBILITÉ

Si vos cycles physiques présentent un décalage de 4 jours, le tableau ci-contre indique que vous êtes compatibles à 65 %. Si vos cycles émotionnels présentent un décalage de 7 jours, le tableau annonce un taux de compatibilité de 50 %. Si enfin vos rythmes intellectuels présentent un décalage de 12 jours, cela correspond à un taux de compatibilité de 27 %. Le taux global de compatibilité n'est donné qu'à titre indicatif ; ce sont les pourcentages individuels obtenus pour chacun des biorythmes qui priment.

TABLEAU DE COMPATIBILITÉ

JOURNÉES DE DÉCLAGE DANS LE CYCLE	CYCLE PHYSIQUE (%)	CYCLE ÉMOTIONNEL (%)	CYCLE INTELLECTUEL (%)
0	100	100	100
1	91	93	94
2	83	86	88
3	74	79	82
4	65	71	76
5	57	64	70
6	48	57	64
7	39	50	58
8	30	43	52
9	22	36	46
10	13	29	39
11	4	21	33
12	4	14	27
13	13	7	21
14	22	0	15
15	30	7	9
16	39	14	3
17	48	21	3
18	57	29	9
19	65	36	15
20	74	43	21
21	83	50	27
22	91	57	33
23	100	64	39
24	71	46	
25	79	52	
26	86	58	
27	93	64	
28	100	70	
29	76		
30	82		
31	88		
32	94		
33	100		

Ajoutez les résultats obtenus pour chaque cycle, puis divisez par 3 pour déterminer le taux global de compatibilité d'un couple.

COMPATIBILITÉ PHYSIQUE

Un taux de compatibilité compris entre 85 et 100 % est parfait pour la plupart des activités physiques pratiquées ensemble. Avec un taux de 75 %, la personne temporairement plus forte devra prendre l'initiative de l'activité, mais aussi tenir compte de la forme physique de son partenaire.

En dessous de 50%, les deux partenaires doivent bien réfléchir afin de trouver des activités qui leur donnent mutuellement satisfaction.

CI-DESSUS ***Une bonne compatibilité émotionnelle est indispensable pour un mariage heureux.***

CI-CONTRE ***Avec un taux de compatibilité émotionnelle inférieur à 50 %, il faut faire preuve de prudence.***

COMPATIBILITÉ ÉMOTIONNELLE

Un taux de compatibilité de 75 à 100 % est excellent. À long terme cependant, dans un mariage par exemple, des rythmes trop semblables peuvent entraîner des tensions liées à un manque de stimulation. Un taux entre 45 et 65 % est parfait pour la plupart des couples stables. Avec une compatibilité inférieure à 35 %, les conditions sont peu favorables, car les partenaires doivent faire preuve d'énormément de tact pour sauvegarder leur relation.

Une forte proportion de couples stables présentent toutefois des taux de compatibilité assez faibles.

COMPATIBILITÉ INTELLECTUELLE

Un taux de compatibilité de 100 % est bien sûr excellent, mais en étant toujours en phase, les partenaires risquent de s'ennuyer, faute de stimulation intellectuelle. Un pourcentage compris entre 65 et 75 % est idéal ; dans ce cas, la collaboration est vraiment profitable.

En dessous de 50 %, les partenaires doivent se surveiller sans cesse, ce qui peut s'avérer éprouvant. Dans les affaires, la réussite d'un partenariat passe presque toujours par une bonne compatibilité intellectuelle.

COMPATIBILITÉ GÉNÉRALE

Plus le taux de compatibilité générale est élevé, plus la relation repose sur des bases solides. Par ailleurs, le cycle correspondant au taux de compatibilité le plus élevé est généralement l'élément fort de la relation. Par exemple, un taux de compatibilité physique élevé est synonyme d'une forte attirance physique ; une forte compatibilité émotionnelle reflète une relation profondément sentimentale ; enfin, lorsque c'est la compatibilité cérébrale qui domine, la relation est essentiellement intellectuelle.

CI-DESSUS ***Un taux de compatibilité compris entre 45 et 65 % environ est idéal pour les couples mariés.***

CI-CONTRE ***La compatibilité intellectuelle se traduit par des intérêts communs.***

Les combinaisons au jour le jour

CHAQUE JOUR, *chacun de nos biorythmes se trouve alternativement dans une phase positive, négative ou critique. La situation est différente suivant qu'un cycle critique passe du positif au négatif (jour critique descendant), ou inversement (jour critique ascendant).*

L'INTERACTION DES BIORYTHMES

L'interaction des différents cycles biologiques donne 27 combinaisons différentes. Toutes ces possibilités sont développées dans les pages suivantes, avec une comparaison de la situation au 10ᵉ jour du mois.

Cette journée n'est toutefois présentée que dans ses grandes lignes. Nous réagissons en effet tous de façon différente à un ensemble de circonstances données, car notre personnalité, notre santé, notre âge et notre éducation influent aussi sur notre humeur. Le calcul de nos biorythmes peut cependant nous aider à anticiper d'éventuels problèmes.

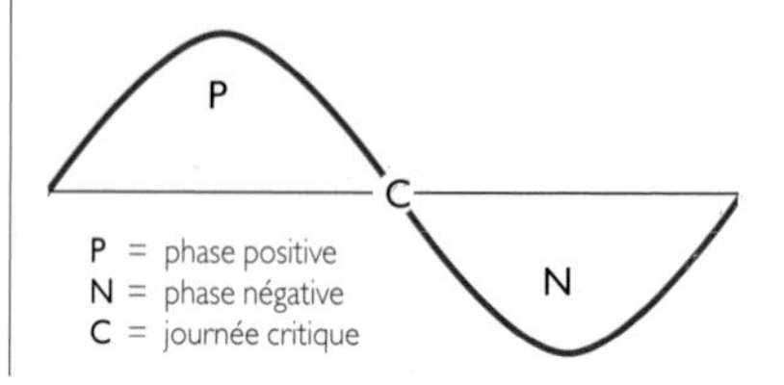

LES 27 COMBINAISONS

NNN Lorsque vos trois cycles sont en phase négative, vous êtes au creux de la vague. Détendez-vous et n'entreprenez rien de nouveau, car même les plus gros efforts risquent d'être vains.

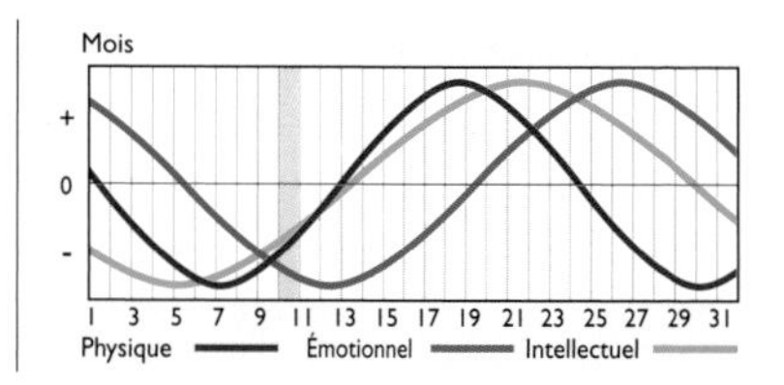

PNN Physiquement, vous vous sentez en forme, mais il est préférable de remettre vie sociale et efforts intellectuels à plus tard. Réfléchissez avant de prendre un nouvel engagement.

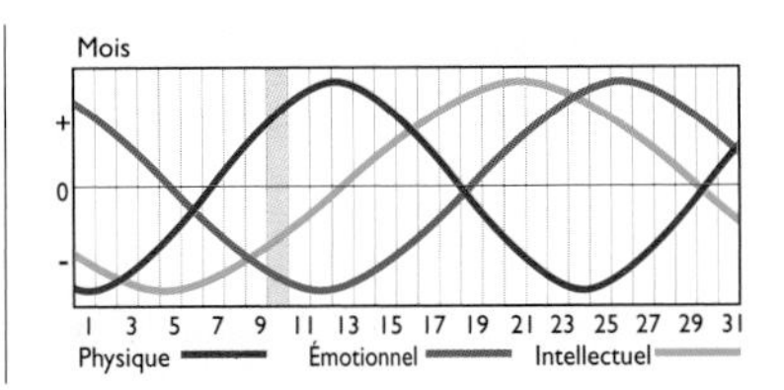

PPN D'un point de vue physique et émotionnel, vous allez bien, mais votre raisonnement laisse à désirer. Assez positif dans l'ensemble, laissez-vous guider par votre instinct, et faites confiance à la première impression.

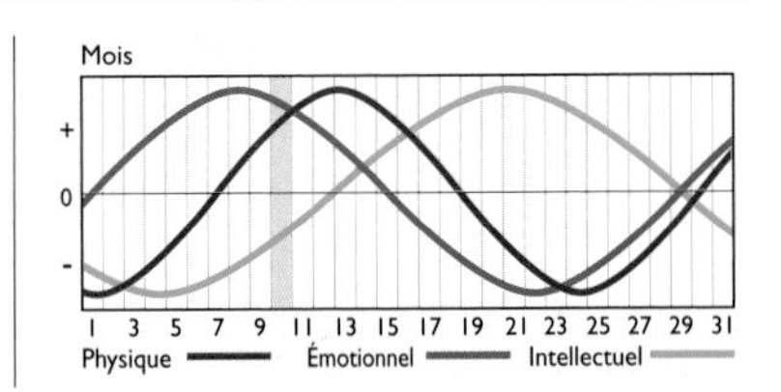

PPP De toute évidence, une journée qui s'annonce bien. Lancez-vous à fond dans tout ce que vous entreprenez, vous devriez atteindre vos objectifs assez facilement. Vous risquez de ne pas tenir en place si vous n'avez rien de prévu.

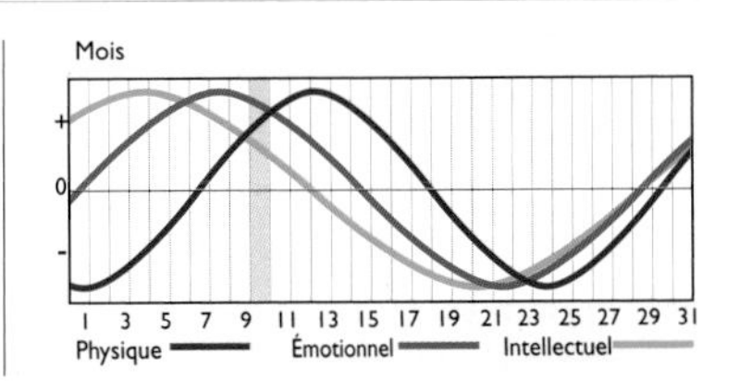

NPP La tête va bien, mais le corps ne suit pas ! Satisfaire vos envies intellectuelles et émotionnelles risque de vous fatiguer. Organisez-vous bien, et sachez établir des priorités.

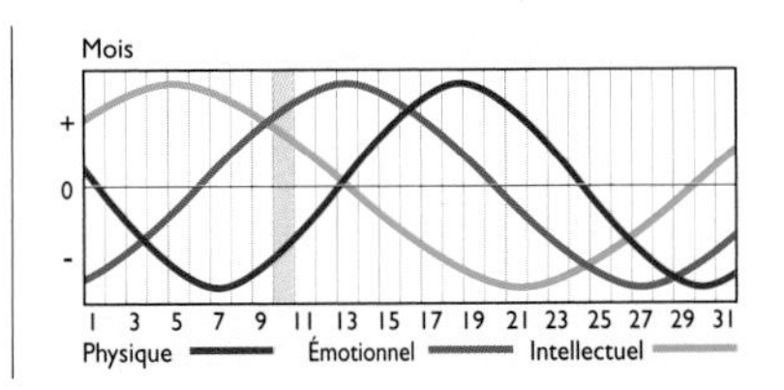

NNP C'est sans doute votre tête qui prendra les choses en main aujourd'hui. Peu sociable, vous risquez de vous mettre en colère. Mieux vaut donc éviter les confrontations.

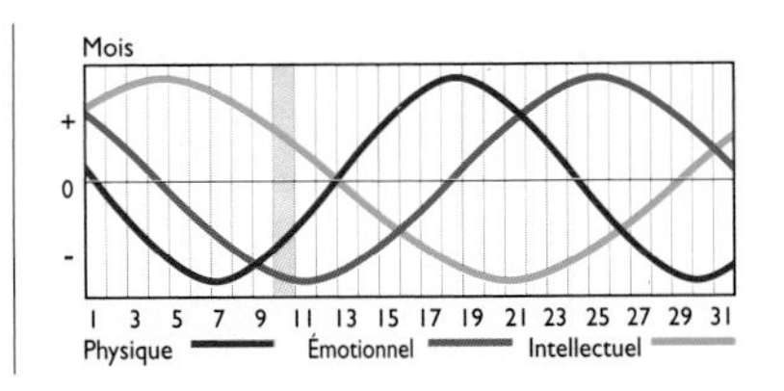

CI-CONTRE
Certains jours, il est préférable de ne pas se lancer dans une activité délicate.

NPN Aimable avec la plupart des gens, vous n'avez pas assez d'énergie pour bien vous concentrer. Si vous êtes créatif, c'est le jour idéal pour vous adonner à votre passe-temps préféré.

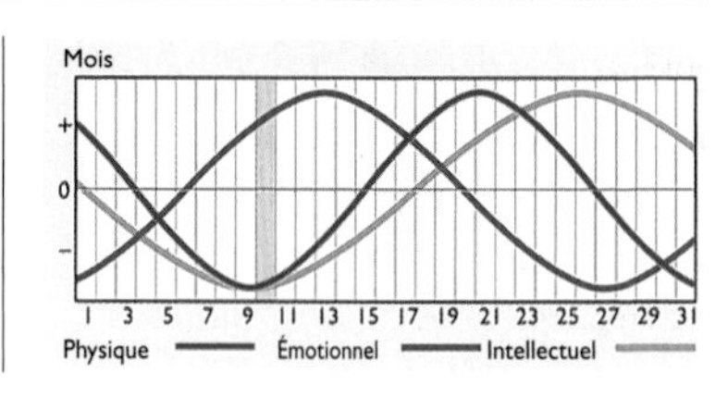

PNP Peut-être vous sentez-vous un peu déprimé. Physiquement, vous allez bien, et votre esprit est encore plus vif qu'à l'ordinaire. Cependant, il est sans doute préférable d'éviter les réunions entre amis.

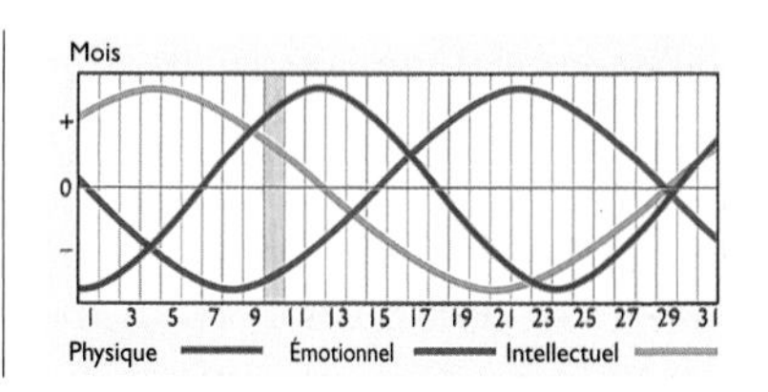

NNC Attention aux accidents. Vous vous fatiguez vite, et vous n'êtes pas très sociable. Peut-être aurez-vous du mal à avoir les idées claires. Mieux vaut donc ne pas aller trop vite en besogne et ne pas prendre de risques.

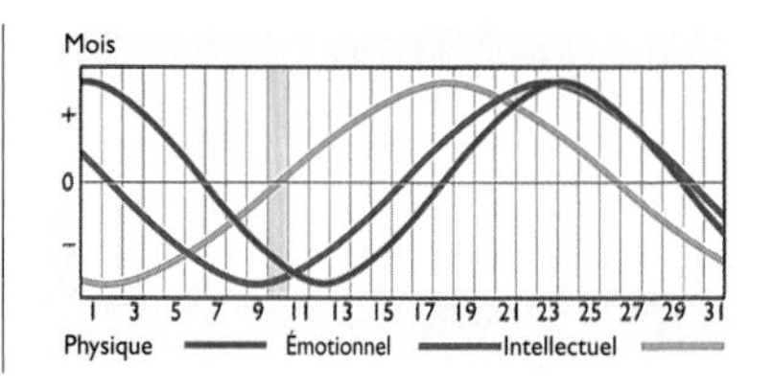

NPC Encore une journée à risque. Ne cherchez pas à vous faire remarquer : vous n'êtes pas en forme, et intellectuellement, c'est une journée critique. C'est seulement sur le plan émotionnel que vos réactions semblent fiables.

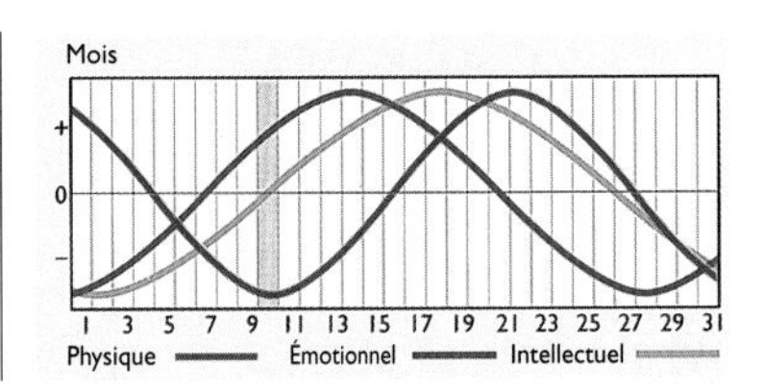

PNC Vous aurez sans doute du mal à avoir les idées claires. Vous n'êtes pas d'humeur sociable et vous ne tenez pas en place. Peut-être êtes-vous également un peu inquiet. Encore une journée délicate.

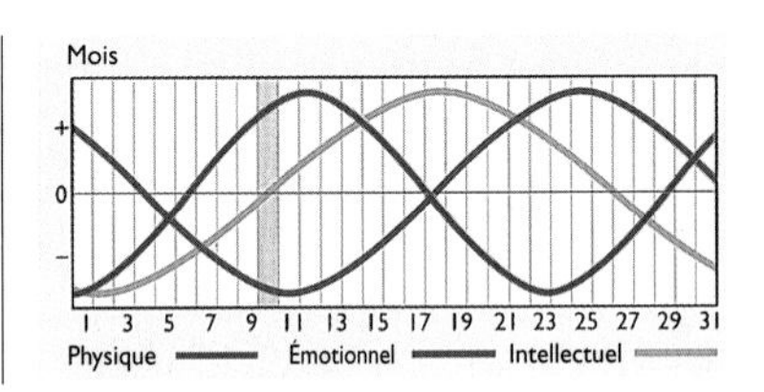

PPC Vous êtes en pleine forme physique et émotionnelle. Peut-être un peu trop sûr de vous, vous risquez de faire de petites erreurs de jugement car votre intellect est en phase critique.

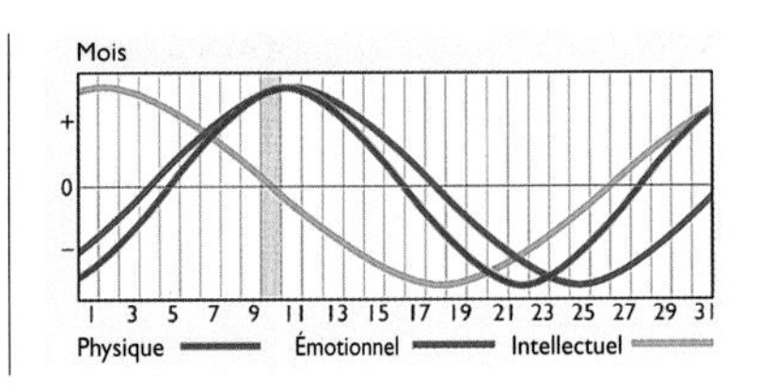

NCN Ne prenez pas de décision hâtive, vous auriez des problèmes par la suite. En effet, physiquement et intellectuellement, vous n'êtes pas en forme, et votre rythme émotionnel est en phase critique. Soyez prudent pour éviter les accidents.

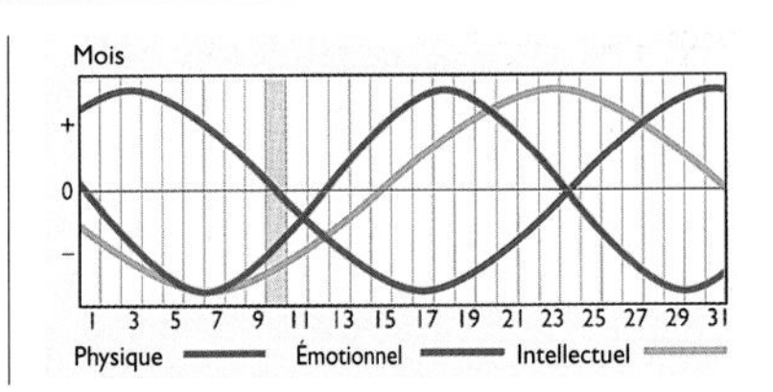

NCP Vous risquez de faire de grosses erreurs en conduisant ou en utilisant des outils ou des machines que vous maîtrisez mal. Attention aux accidents. Par ailleurs, vous ne supportez pas les remarques.

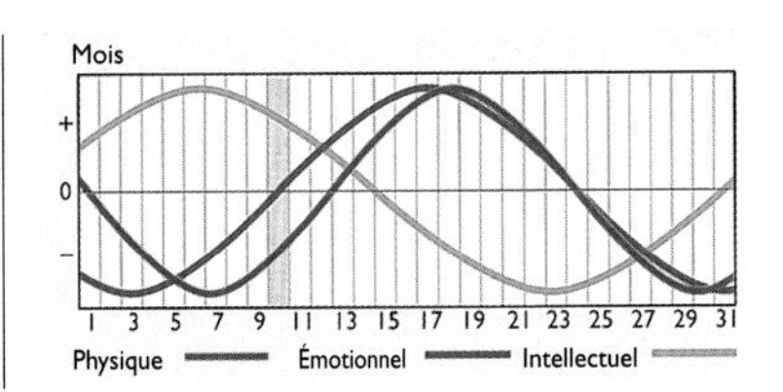

PCN Si vous êtes au mieux de votre forme physique, vous êtes en conflit avec tout le monde parce que vous ne saisissez pas tout. Vous n'êtes pas très sociable non plus. Attention si vous étudiez un dossier ou si vous relisez des notes.

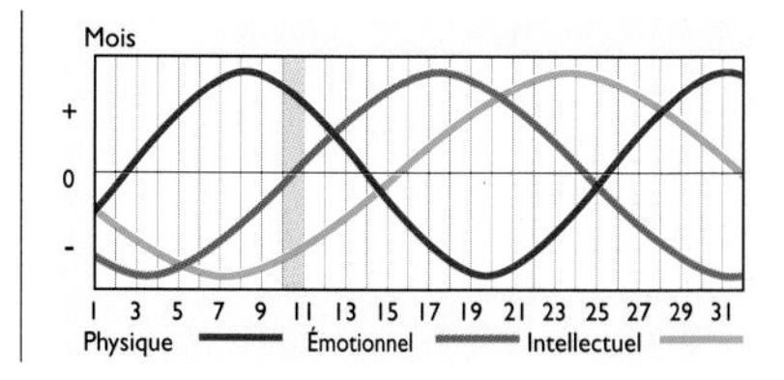

PCP Irritable, et un peu trop sûr de vous... Peut-être aurez-vous envie d'accomplir quelque chose, mais votre manque de concentration vous rendra la tâche difficile. N'acceptez pas de travail supplémentaire.

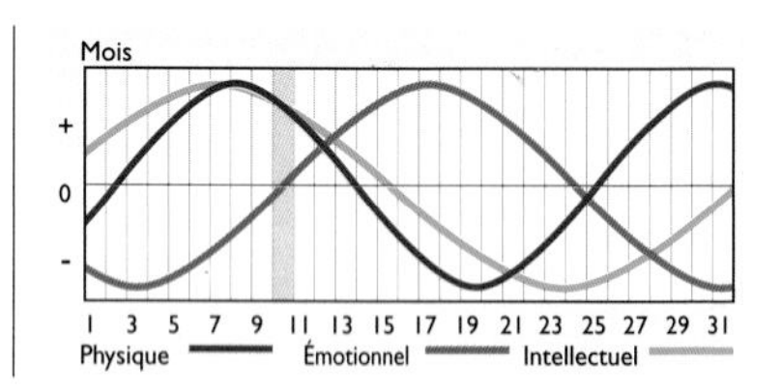

CNN Période à haut risque, heureusement de courte durée. Soyez très prudent. Déstabilisé sur le plan physique, vous avez en outre une moins bonne perception des choses. Soyez vigilant en permanence.

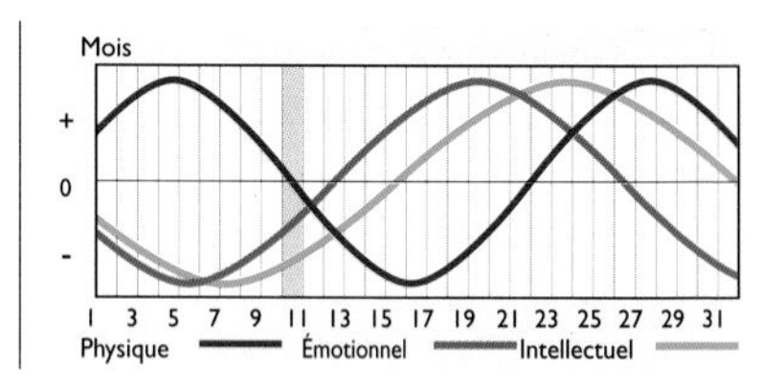

TENEZ COMPTE DE VOS BIORYTHMES

Si vous savez que vos cycles sont défavorables à votre projet initial, il est plus sage de remettre celui-ci à un jour plus faste.

CI-CONTRE ***Les jours à haut risque, évitez les activités potentiellement dangereuses.***

CNP Vous vous fatiguez sans doute facilement et, comme vous êtes un peu déprimé, vous avez tendance à préférer la solitude. Gardez les idées claires et n'oubliez pas que l'inattention est source d'accident.

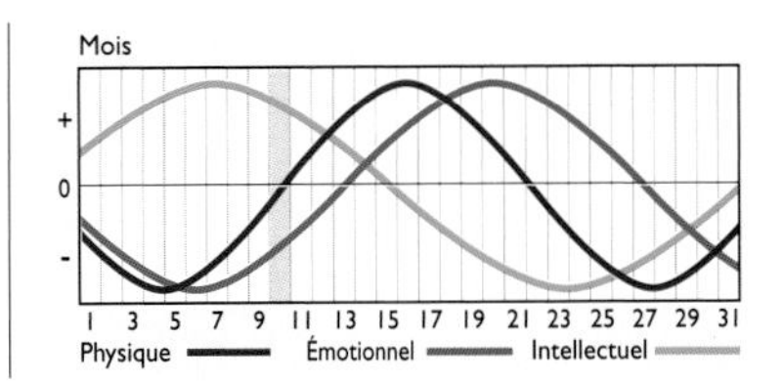

CPP Bonne journée sur les plans émotionnel et intellectuel, mais épuisante physiquement. Vous croyez pouvoir tout faire, mais ce n'est pas le cas ! Ne négligez pas les risques d'accident.

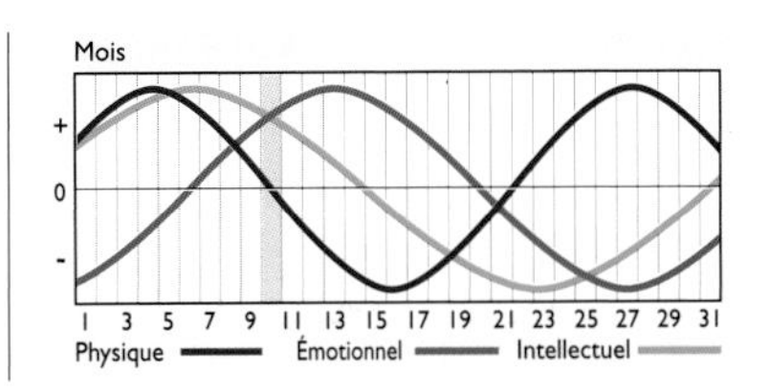

CPN Cette journée est loin d'être idéale. Si vous êtes réceptif, en revanche vous vous sentez un peu léthargique. Un éventuel problème de coordination risque d'entraîner de petits accidents sans gravité.

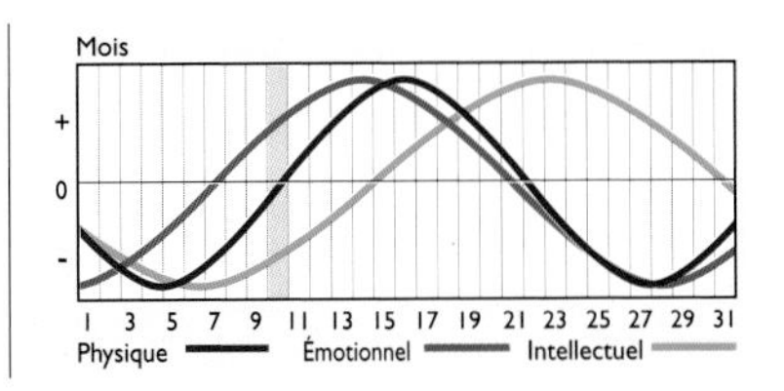

NCC Mauvaise journée en perspective : vos rythmes émotionnel et intellectuel sont complètement déstabilisés et votre cycle physique négatif ne peut qu'aggraver la situation. Évitez les activités physiques.

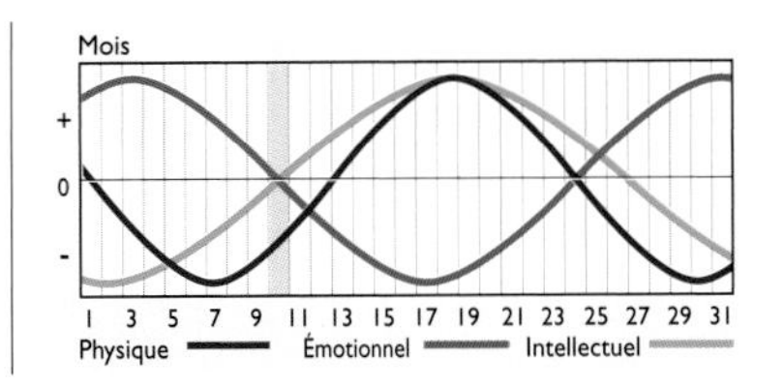

PCC Encore une journée à haut risque. Probablement plus déstabilisé que vous ne le pensez, vous avez tendance à trop parler et à multiplier les problèmes. Physiquement, en revanche, vous êtes en pleine forme.

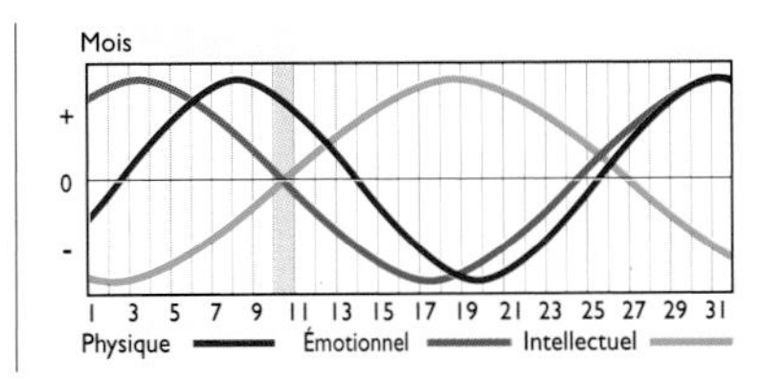

CNC Période agaçante où tout le monde est contre vous (à vos yeux tout au moins). Un rythme émotionnel négatif et deux cycles critiques : attention aux accidents !

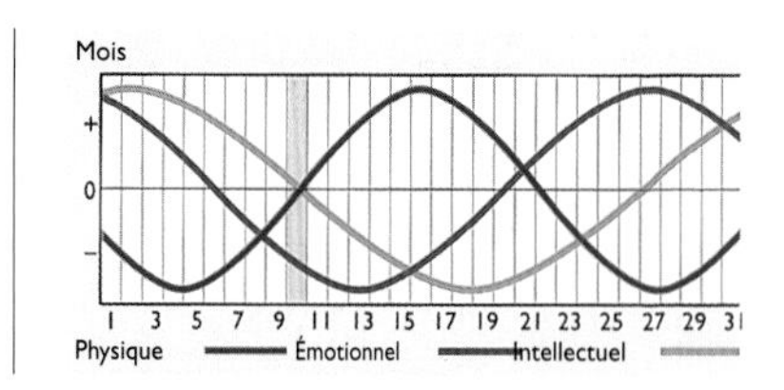

CPC Vous vous sentez déstabilisé, vos cycles physique et intellectuel étant tous deux en phase critique. Votre rythme émotionnel positif arrange néanmoins un peu les choses.

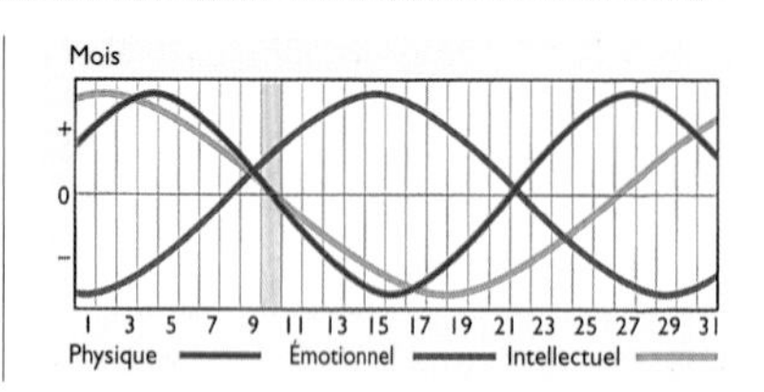

CCP Pendant les jours critiques d'un point de vue physique et émotionnel, vous courez toujours le risque de commettre une grave erreur lorsque vous vous y attendez le moins. Journée délicate, réfléchissez bien avant de faire quoi que ce soit !

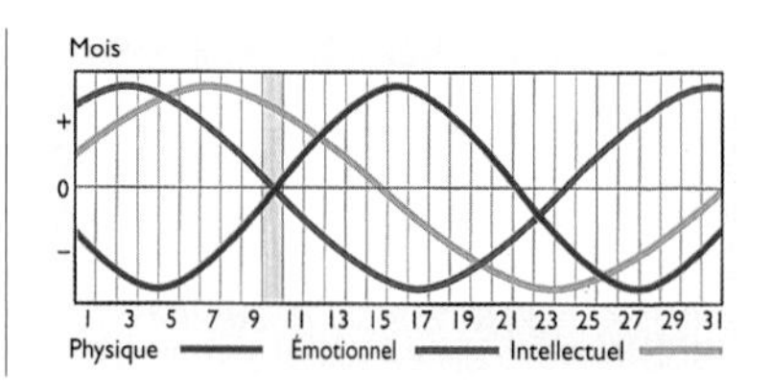

CCN Vous n'avez ni l'esprit vif, ni une perception très fine. De plus, les cycles physique et émotionnel étant critiques, vous ne verrez sans doute pas venir les problèmes à temps.

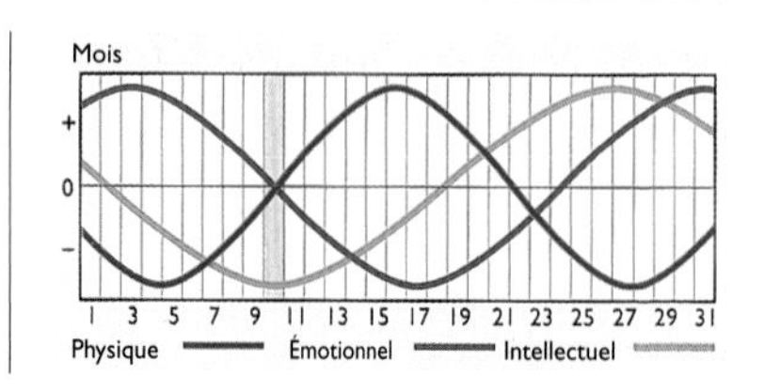

CCC Soyez particulièrement vigilant. Il n'est heureusement pas très fréquent de cumuler trois cycles en phase critique. Lorsque cela se produit, efforcez-vous de rester calme et serein.

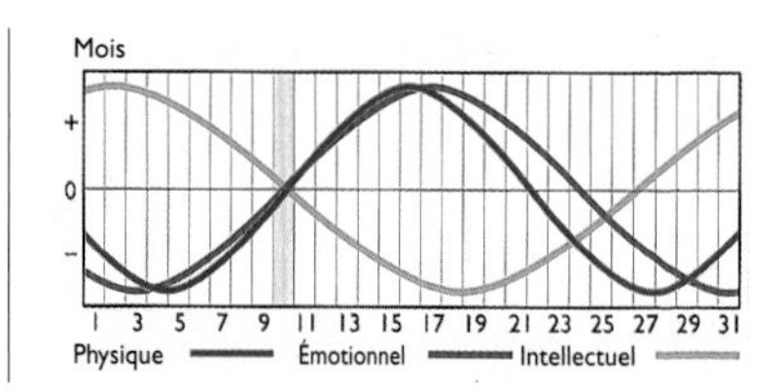

Faire des projets à l'aide des biorythmes

LORSQUE LE CALCUL *des biorythmes n'aura plus de secret pour vous, vous allez trouver mille façons de les utiliser dans votre vie quotidienne.*

CI-DESSUS
Calculer ses biorythmes à l'avance n'est pas une perte de temps.

PRÉPARER L'AVENIR

N'oubliez pas que ces combinaisons ne sont données qu'à titre indicatif. La vie est différente pour chacun d'entre nous, et prédire l'avenir n'est en rien une science exacte. Si certaines combinaisons biorythmiques ne durent qu'un jour, d'autres en revanche persistent parfois pendant six ou sept jours, et ce sont les phases positives qui tendent le plus à se prolonger. La nature est bien faite !

FAITES VOS PROJETS À L'AIDE DE VOS BIORYTHMES

Prenez donc le temps de calculer vos biorythmes pour les six ou douze mois à venir : vous maîtriserez davantage votre avenir. Apprenez à vous préparer pour les jours où un détail peut tout faire basculer. Personne n'aime les perdants, mais nous envions tous les gagnants !

Pour tirer le meilleur parti de votre énergie naturelle, apprenez à vous servir de votre agenda. Si des temps difficiles se profilent à l'horizon et si vos biorythmes semblent également défavorables, remettez vos projets à plus tard ou bien avancez-les.

Toutes les personnes qui réussissent dans la vie mettent à profit cette méthode permettant de planifier l'avenir de façon optimale.

Maigrir à l'aide des biorythmes

QUI N'A JAMAIS CHERCHÉ *à perdre du poids ?... Cependant, les régimes brutaux, mal planifiés et mal vécus, sont généralement abandonnés au bout de quelques jours. Et on s'en veut généralement ensuite de ne pas avoir mené à bien le programme, sans remettre en question son choix initial.*

CI-CONTRE
Pour beaucoup d'entre nous, une alimentation équilibrée ne va pas de soi.

DÉTERMINEZ VOS JOURS CRITIQUES

Si vous prenez soin de planifier soigneusement les choses en tenant compte de vos biorythmes, il n'y a aucune raison pour que vous ne réussissiez pas à suivre un régime sensé qui vous permettra de perdre du poids. Tracez votre courbe biorythmique pour deux ou trois mois, et faites ressortir les journées critiques des cycles émotionnel et intellectuel. Prévoyez de commencer votre régime sept ou huit jours avant le premier jour critique, et si possible au milieu de la phase positive du cycle physique.

Essayez de ne pas attendre trop longtemps pour que les conditions idéales soient réunies, sinon vous ne commencerez jamais. La seule façon de perdre du poids de façon durable s'inscrit dans une démarche à long terme, avec diminution progressive de la consommation de graisse et de sucre au profit d'une alimentation équilibrée. Prévoyez de manger souvent mais en petites quantités (cinq à six fois par jour au début) pour éviter les fringales qui donnent irrésistiblement envie d'un en-cas sucré. Fixez-vous comme objectif de manger cinq portions de fruits ou de légumes frais par jour.

CI-DESSUS
Évitez les sucreries les jours critiques.

FINI LES SUCRERIES !

Il est indispensable de s'alimenter correctement les jours critiques du cycle physique. Veillez alors à ne manger que des aliments diététiques et sains, et laissez tomber gâteaux, chocolat et autres sucreries. Si vous ne pouvez pas vous empêcher de grignoter entre les repas, croquez une carotte crue ou une feuille de salade, mais vous devriez pouvoir vous en passer, hormis peut-être les jours critiques.

Soyez encore plus déterminé à chaque inversion de phase. Surveillez ce que vous mangez, et limitez-vous aux aliments qui vous réussissent. Observez ce que vous buvez et à quel moment, l'alcool notamment, car il fait grossir. Le fait de boire tard le soir risque en outre d'altérer votre sommeil. Résistez à l'envie de faire des excès, et au fur et à mesure que les jours passent, vous vous sentirez de mieux en mieux. En tenant compte de vos biorythmes de cette façon, l'efficacité de votre régime sera assurée.

CI-CONTRE
Si vous devez prendre un en-cas, optez pour des crudités.

Étudier à l'aide des biorythmes

S'IL EST TRÈS SATISFAISANT *de maîtriser un sujet, il n'est pas toujours facile de s'y plonger. Les stages intensifs sont rarement efficaces et souvent mauvais pour la santé, surtout si l'on veille la moitié de la nuit au cours d'un cycle physique négatif ou d'une période critique.*

CI-CONTRE ***La phase négative du cycle intellectuel est indiquée pour apprendre ses leçons ou faire des révisions.***

Étudiez ou révisez de préférence lorsque vous êtes en forme et que votre cycle physique est positif. Une phase intellectuelle positive est en outre idéale pour assimiler de nouvelles idées et engranger des données supplémentaires.

LE MEILLEUR MOMENT POUR ÉTUDIER

Pourtant, c'est lorsque leur cycle intellectuel est en phase négative que la plupart des gens ont le plus de facilité à étudier. C'est en effet la période idéale pour les révisions. L'esprit ne souhaite pas absorber de nouvelles informations, et est ravi de rester au point mort. Les étudiants sont alors moins réceptifs. S'ils peuvent encore aborder de nouveaux sujets, c'est avec moins de facilité que lorsque leur biorythme intellectuel traverse une phase positive.

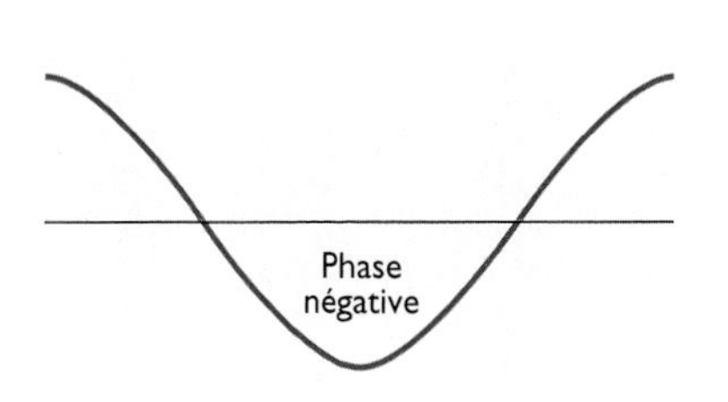

CI-DESSUS ***La phase négative convient tout à fait à la pratique de certaines activités.***

CI-DESSUS ***C'est en phase intellectuelle négative que les acteurs apprennent le mieux leur rôle.***

TIREZ PARTI DE LA PHASE NÉGATIVE

De même, c'est lorsque leur cycle intellectuel est négatif que les acteurs apprennent le plus facilement leur rôle. Par ailleurs, les inspecteurs de police se sont aperçus que c'était le moment idéal pour ressortir de vieux dossiers ou se pencher sur les progrès d'une enquête. C'est en effet au cours de ces périodes qu'ils résolvent le plus d'affaires.

Les sportifs en revanche obtiennent généralement de moins bons résultats. Bien que leurs performances reposent davantage sur leur forme physique que sur leurs capacités intellectuelles, ils doivent néanmoins avoir toute leur tête à eux. Il est arrivé que des athlètes de haut niveau perdent parce que leur cycle intellectuel était en phase négative et qu'ils l'ignoraient.

Souvenez-vous donc que l'idéal est d'aborder un nouveau sujet lorsque votre cycle intellectuel est en phase positive, alors que sa phase négative se prête mieux aux révisions.

CI-CONTRE ***Les athlètes sont moins performants au cours de la phase négative de leur cycle intellectuel.***

Arrêter de fumer à l'aide des biorythmes

LA CIGARETTE EST UNE DROGUE, *et s'en détacher ne s'improvise pas. Pour lutter contre votre dépendance à la nicotine, vous devez avoir la volonté de vous arrêter de fumer, et suivre un programme bien établi. Tenir compte de vos biorythmes vous aidera à réussir.*

CALCULER VOS BIORYTHMES

Tracez vos courbes pour un mois au minimum. Le meilleur moment pour arrêter de fumer se situe deux jours au moins après un jour critique descendant du cycle émotionnel. Cela vous laisse pratiquement deux semaines avant le prochain jour critique de ce cycle, qui correspond au moment où vous vous sentirez le plus vulnérable, et donc le plus susceptible de succomber à la tentation.

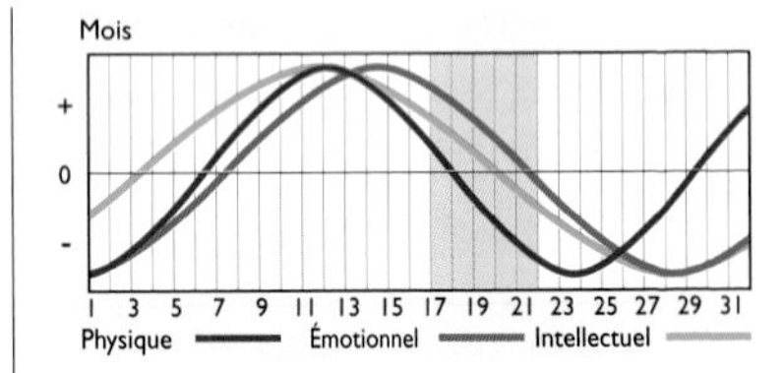

CI-DESSUS ***Déterminez le jour idéal pour arrêter de fumer à l'aide de vos courbes.***

Si le cycle émotionnel est primordial ici, le fait d'arrêter de fumer en début de phase positive du cycle intellectuel contribuera aussi à la réussite de votre entreprise. En effet, votre esprit est alors en mesure de résister aux tentations, tandis que votre organisme peut supporter ces frustrations.

CI-CONTRE ***Il est plus facile d'arrêter de fumer si on le planifie correctement.***

ATTENDEZ DONC UN JOUR CRITIQUE

Le lendemain d'un jour critique du cycle physique (descendant si possible), fumez une dernière cigarette.

Ensuite, arrêtez de fumer. Si vous réussissez à ne pas fumer pendant une journée, vous pouvez le faire pendant deux jours. Puis une semaine. Votre prochain jour critique survient dix jours après, soit près de deux semaines plus tard. Ne vous inquiétez pas, il ne dure pas très longtemps. À l'aide des biorythmes, vous aurez ainsi réussi à arrêter de fumer. Les premiers jours, votre système digestif vous réclamera davantage de nourriture et de boisson. Lorsque l'on arrête de fumer, on prend toujours un peu de poids.

CI-CONTRE ***Lorsque vous arrêtez de fumer, soyez déterminé.***

Ne vous en faites pas, mais veillez à avoir une alimentation équilibrée.

Pour remédier à cette prise de poids, garez votre voiture un peu plus loin que d'habitude, ou bien descendez à l'arrêt précédent si vous prenez les transports en commun, et terminez le trajet à pied.

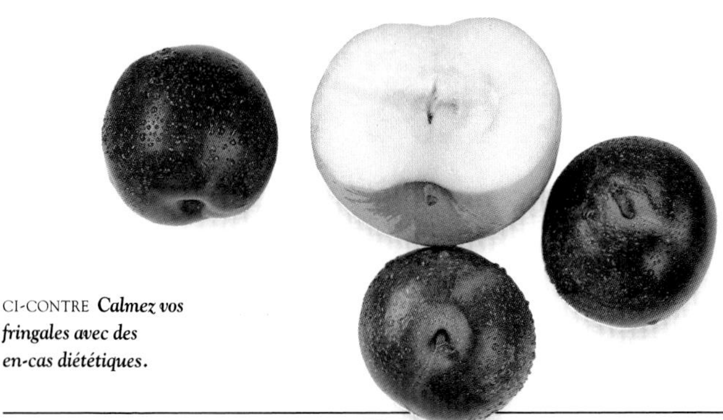

CI-CONTRE ***Calmez vos fringales avec des en-cas diététiques.***

Améliorer ses résultats sportifs

POUR TIRER PARTI DE VOS BIORYTHMES *dans le domaine du sport, il est indispensable de tenir compte des trois cycles à tout moment. Le golf, le tir à l'arc ou au pistolet, et le billard nécessitent une bonne vision, alors que pour le football, la natation, la course et la boxe, c'est votre résistance physique qui prime.*

Pour exceller dans un sport quel qu'il soit, les trois cycles biorythmiques doivent être élevés. Or, de toute évidence, cela n'est pas toujours possible. Il convient donc de tirer soigneusement parti d'un cycle physique positif associé à un rythme intellectuel ou émotionnel positif ou négatif.

L'IMPORTANCE DE LA PLANIFICATION

Calculez vos biorythmes bien avant tout programme sportif. Il est essentiel de bien étudier ces courbes si vous voulez réussir. Lorsque les trois cycles sont en phase positive, vous risquez de trop en faire. S'il est bon d'avoir l'énergie nécessaire au bon moment, il convient d'apprendre à la canaliser et à en faire bon usage. Si les trois cycles sont négatifs, vous ne pouvez plus compter que sur vos efforts. Vous n'atteindrez certes pas des sommets, mais vous pouvez tout de même donner du fil à retordre à votre adversaire, et même gagner. Si un ou deux cycles sont en phase critique, votre performance peut être excellente ou irrégulière, voire les deux à la fois !

CI-CONTRE ***Il est préférable de jouer au golf les jours où l'on se sent équilibré.***

CEUX QUI GAGNENT

Les grands joueurs de tennis qui savent tirer parti de leurs biorythmes compensent un cycle physique négatif par un cycle intellectuel positif pour limiter les erreurs d'inattention. Adaptez cette approche à votre sport préféré et vous constaterez immédiatement la différence !

Dans un sport collectif, un cycle émotionnel positif facilite le jeu d'équipe. Si votre cycle physique traverse une phase négative, acceptez vos limites, et évitez la tentation de trop en faire.

Ces indications générales doivent vous permettre de déterminer l'attitude à adopter quel que soit le sport que vous pratiquez.

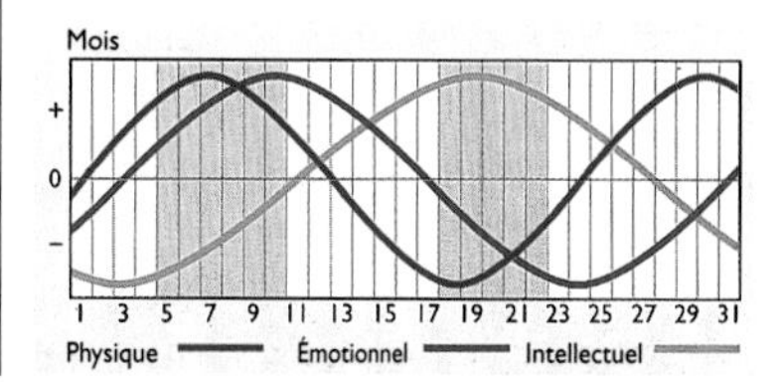

CI-CONTRE ***Observez vos courbes biorythmiques et tenez-en compte.***

CI-DESSOUS ***Certains grands joueurs de tennis savent tirer parti de leurs biorythmes.***

L'efficacité au travail

IL DEVIENT ESSENTIEL *d'être efficace au travail. Aux compétences techniques s'ajoute aujourd'hui la maîtrise de l'incontournable outil informatique. Pour survivre dans cet univers, il faut absolument être le meilleur. Il est donc essentiel de bien s'organiser.*

Pour porter leurs fruits, voyages d'affaires, coups de fil, réunions et courriers doivent être bien menés. Certains jours, tout se passe bien : vous prenez rapidement de bonnes décisions, vous débordez d'énergie, vous gérez bien votre temps et votre équipe. Nous avons tous cependant des jours où nous ne sommes pas très en forme, où nous ne réagissons pas aussi vite qu'il le faudrait, où nous n'arrivons pas à suivre et à nous adapter aux fluctuations incessantes de la situation professionnelle.

EMPORTEZ VOS COURBES BIORYTHMIQUES AU BUREAU

Aujourd'hui, pour réussir sa vie professionnelle, il faut être excellent en permanence. Conservez vos courbes biorythmiques dans votre agenda et joignez-y si possible celles de vos clients, de vos chefs et des membres de votre équipe.

CI-CONTRE ***Vous pouvez profiter des phases négatives de vos cycles pour reprendre un dossier.***

Les jours critiques, remettez à plus tard les décisions importantes : cela vous évitera toute erreur de jugement. Apprenez à profiter des phases négatives de chacun de vos cycles pour traiter des affaires courantes.

Au cours de la phase positive, vous êtes ouvert à de nouvelles idées et capable de les mettre en pratique. Vous pouvez effectuer de longs voyages d'affaires sans vous épuiser.

CI-CONTRE ***Si vous le pouvez, tracez les courbes biorythmiques de vos clients.***

VÉRIFIEZ LES BIORYTHMES DE VOS CLIENTS

Organisez des réunions en fonction des biorythmes de vos clients et des vôtres. Si les courbes des cadres s'avèrent incompatibles avec celles d'un client, ils cherchent un collègue dont l'horloge biologique est plus adaptée et le chargent du dossier. C'est aujourd'hui comme cela que l'on gagne des contrats. Réfléchissez à l'avantage que vous avez alors sur la concurrence !

CI-DESSOUS ***Pour signer un contrat, rien ne vaut des biorythmes compatibles.***

Les relations familiales

LORSQU'UN ENFANT HYPERACTIF *pique une colère un jour critique, il peut se faire mal. Dans le meilleur des cas, cette colère va énerver ses parents, et si l'un d'entre eux n'est pas d'une humeur compatible, toute la famille passera un mauvais moment.*

CI-DESSUS ***Certains jours, les familles vivent naturellement en harmonie.***

Si les adultes, les parents notamment, ont appris peu à peu à faire preuve d'une certaine retenue, ce n'est pas le cas des enfants. Une fois que l'on est conscient de l'effet des biorythmes sur ses enfants, on peut s'arranger pour éviter les journées difficiles.

ÉVITER LES JOURNÉES DIFFICILES

Les biorythmes permettent d'aborder les relations familiales de façon structurée. En effet, à l'aide des courbes biorythmiques de votre progéniture, vous prévoyez les jours de conflits ou non productifs, et vous saurez être moins exigeant ces jours-là.

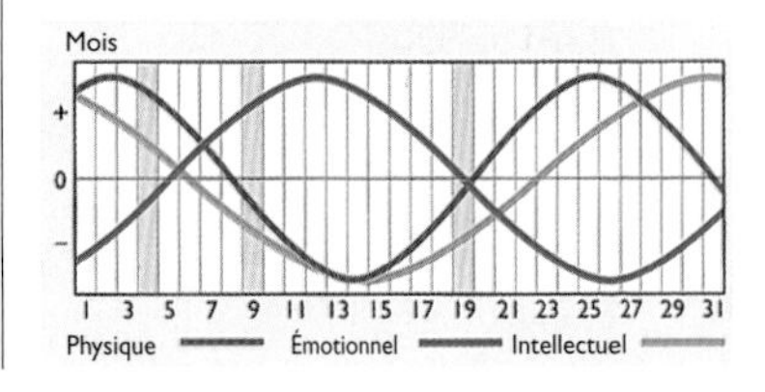

CI-CONTRE ***Vous pouvez prédire l'humeur de vos enfants d'après leurs courbes.***

Les parents ne sont pas obligés de changer entièrement d'attitude, il suffit qu'ils s'adaptent aux cycles et qu'ils se montrent plus compréhensifs à l'égard d'eux-mêmes et de leurs enfants.

ÉLIMINER LE STRESS

Cela fonctionne dans les deux sens : les enfants commencent à voir leurs parents sous un jour nouveau et comprennent qu'il suffit parfois de parler pour sortir d'une situation stressante.

Préparez un tableau de compatibilité biorythmique pour toute la famille et faites ressortir les journées à risque. Lorsque l'on en tient compte, les tensions diminuent et la vie de famille devient plus harmonieuse.

CI-CONTRE ***Consultez ses biorythmes pour savoir quel jour votre enfant court le moins de risques.***

COMPARAISON DES BIORYTHMES DE LA FAMILLE

Vous pouvez utiliser les biorythmes pour choisir la date des événements qui sont le plus susceptibles de stresser votre entourage, un déménagement ou un départ en vacances par exemple. Il suffit pour ce faire de regarder quand les cycles positifs des membres de la famille sont le plus en phase.

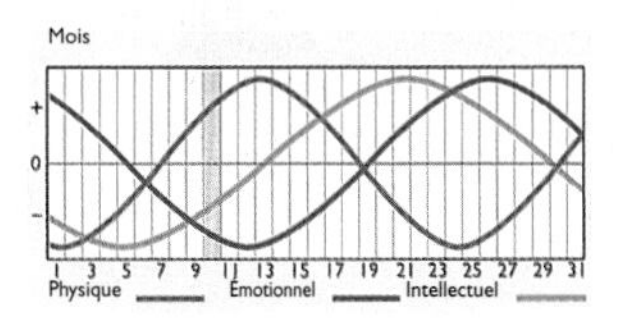

PÈRE

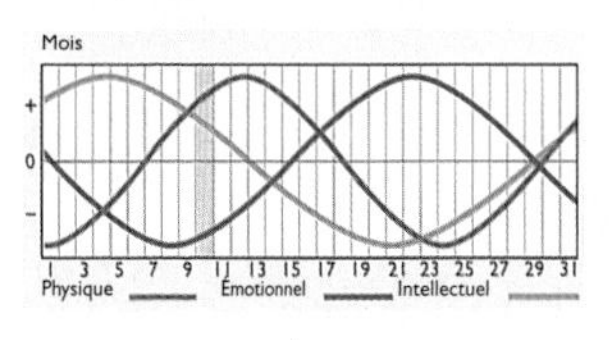

MÈRE

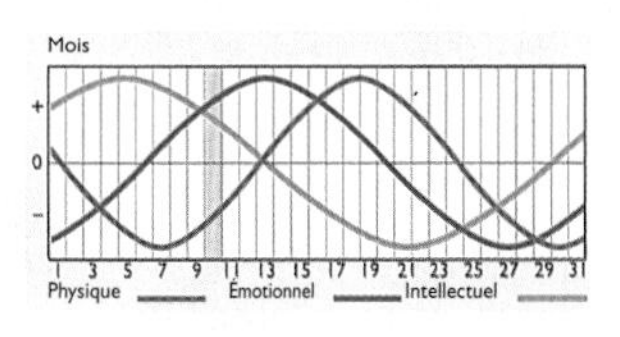

ENFANT

Les relations amoureuses

LE DÉBUT D'UNE NOUVELLE *liaison est une période d'incertitude où les deux partenaires apprennent à mieux se connaître et essaient de deviner l'humeur de l'autre. Les biorythmes peuvent alors apporter une aide précieuse.*

CI-CONTRE ***À long terme, le charme de la nouveauté n'opère plus.***

Lorsque l'on commence à comprendre les biorythmes et à s'en servir, on devient rapidement sensible non seulement à sa propre humeur et à ses propres possibilités, mais aussi à celles des personnes dont on apprécie la compagnie, son partenaire notamment. Comme toutes ses petites manies, les sautes d'humeur d'un conjoint prennent une grande importance. En établissant sa courbe biorythmique, on voit rapidement se dessiner un profil.

D'un point de vue biorythmique, une relation intime est l'occasion idéale de se découvrir et de désamorcer les tensions potentielles susceptibles de tout gâcher.

CI-DESSOUS ***Votre propre courbe vous sera utile les premiers jours...***

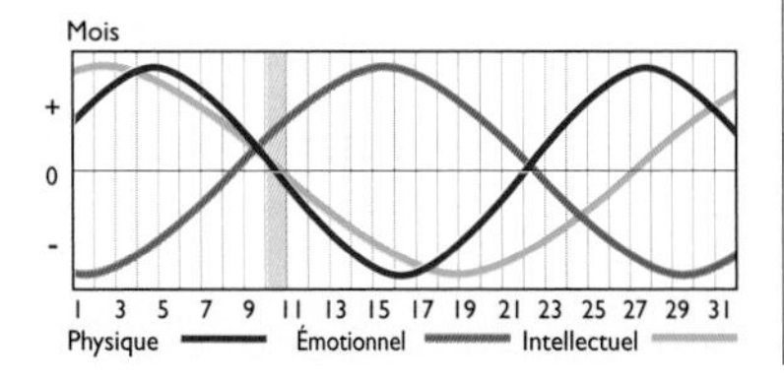

CI-DESSOUS ***... tandis que celle de votre partenaire vous aidera à mieux le connaître.***

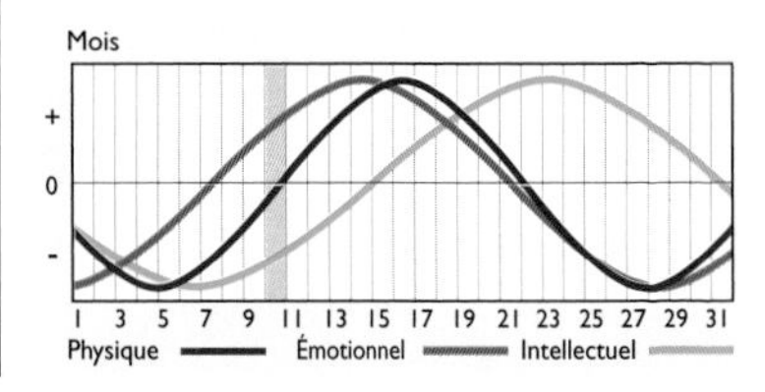

En règle générale, on fait souvent la connaissance des gens dans le cadre d'une soirée ou d'une réunion plus ou moins formelle. Il est préférable d'être émotionnellement stable pour bien profiter d'un événement de ce type. S'il se produit lorsque votre cycle émotionnel est en phase négative, vous devrez redoubler d'efforts pour être sociable.

Si votre biorythme traverse une phase critique, vous serez peut-être trop sensible, et le moindre détail risque de vous affecter. Si votre cycle émotionnel est positif en revanche, vous avez toutes les chances de briller en société.

Ainsi, lorsque vous rencontrez quelqu'un pour la première fois, il est rare que vous soyez réellement vous-même. Ce n'est que plus tard, loin du contexte artificiel de la soirée, que vous pourrez vraiment faire connaissance. C'est à ce moment-là qu'il est utile de prendre la peine de calculer vos biorythmes respectifs à long terme. Vous serez ainsi en mesure de mieux vous comprendre et de mieux tolérer vos humeurs respectives. Votre relation sera alors placée sous de meilleures auspices.

CI-CONTRE ***C'est après les premières rencontres que l'on apprend à vraiment se connaître.***

Santé et accidents

LA RECHERCHE MÉDICALE *est affirmative : les biorythmes jouent un rôle dans l'apparition des maladies. Un lien a ainsi été établi entre les périodes d'incubation qui séparent l'exposition à un virus des premiers symptômes et les jours critiques du cycle physique.*

UNE AIDE PRÉCIEUSE EN CHIRURGIE

Rhumes, grippes et autres infections resserrent souvent leur étau les jours critiques où le cycle physique devient négatif, alors que les gens se remettent généralement mieux d'une opération lorsque ce rythme est en phase positive. Les saignements sont par ailleurs plus abondants les jours critiques du cycle physique, et l'idéal est d'aller chez le dentiste lorsque les trois cycles sont en phase positive, car les soins sont plus douloureux lorsque le rythme physique est négatif.

En outre, les infarctus et les attaques d'apoplexie sont plus fréquents lorsque les cycles physique et émotionnel sont en phase critique ou négative. Ce n'est bien sûr pas systématique, mais si vous êtes en mauvaise santé, vous courez plus de risques ces jours-là.

CI-CONTRE
La probabilité d'être malade augmente les jours critiques.

LES MAUVAIS JOURS

À certains moments du cycle physique, lorsque le rythme est en phase négative notamment, les risques d'accident sont plus élevés. Ces jours-là, même les enfants sportifs habitués à une activité physique intense peuvent commettre une erreur. En outre, ils se fatiguent plus vite, et la probabilité de se blesser augmente. Les risques sont encore plus grands lorsque le cycle intellectuel est positif, car on a alors tendance à se surestimer.

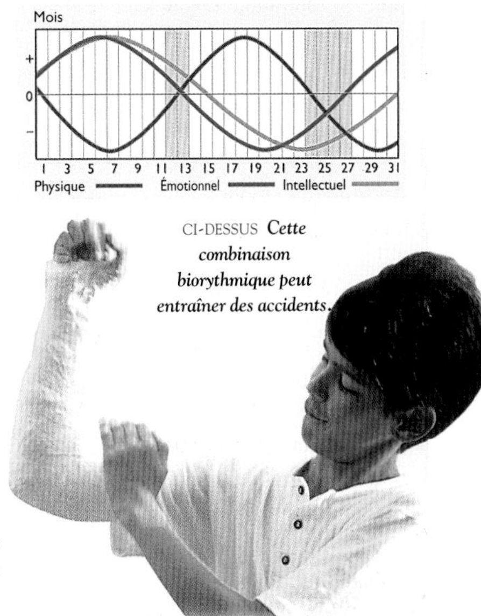

CI-DESSUS ***Cette combinaison biorythmique peut entraîner des accidents.***

CI-CONTRE ***Lorsque le cycle physique est négatif, le risque d'accident augmente.***

LES ACCIDENTS NE SONT PAS UNE FATALITÉ

Les accidents surviennent fréquemment les jours où un ou plusieurs biorythmes sont en phase critique et où l'on est un peu trop sûr de soi. Il est bon d'en être conscient et d'éviter de trop en faire. Si vos rythmes sont positifs juste avant un jour critique, vous avez toutes les chances de vous laisser entraîner dans toutes sortes d'aventures.

De même, si vous êtes en phase négative, vous riquez de mal interpréter les avertissements éventuels et vous aurez tendance à négliger certains éléments avant de prendre une décision, probablement mauvaise. Cela ne se traduira pas forcément par un accident où vous vous blesserez physiquement. Il peut s'agir aussi d'une erreur professionnelle qui aura des répercussions sur d'autres aspects de votre vie.

L'impact des biorythmes

NOUS SUBISSONS *en moyenne six journées critiques par mois, parfois huit. Comme ces jours critiques reviennent à peu près tous les 30 jours, nos biorythmes en phase critique occupent 20 % de notre vie, ce qui peut avoir des conséquences significatives pour certaines personnes.*

Dans un article publié en 1939, le Dr Hans Schwing, de l'Institut fédéral suisse de technologie de Zurich, analysait les phases biorythmiques des personnes célèbres victimes d'accidents ou décédées de mort violente. Selon ses calculs, 60 % des accidents se produisent un jour critique.

Rheinhold Bochow de l'université Humboldt de Berlin est parvenu aux mêmes conclusions en 1954.

Il semble donc qu'il soit vital de connaître ses propres biorythmes, comme le montre les quatre exemples suivants.

CI-DESSUS ***Marilyn Monroe – victime de son état biorythmique ?***

MARILYN MONROE

NÉE LE **1er juin 1926**

DÉCÉDÉE LE **5 août 1962**

PROFESSION **Star de cinéma**

Née le 1er juin 1926, Marylin Monroe a connu la célébrité dans les années 1950. Sa mort prématurée a fait de cette star de cinéma une véritable icône. Si le rapport de police affirme qu'elle a succombé à une overdose la nuit du 5 août 1962, les circonstances de sa mort n'ont jamais été clairement élucidées.

L'étude de ses biorythmes cette nuit-là est révélatrice. Son cycle physique était en effet en phase critique, et ses deux autres rythmes étaient sur le point d'entrer ou d'être en phase critique. Son horloge biologique ne laisse donc planer aucun doute.

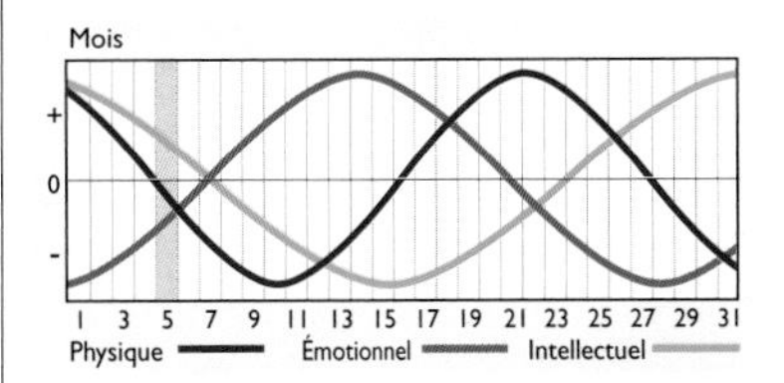

CI-DESSUS ***La courbe biorythmique de Marylin Monroe au moment de sa mort.***

ELVIS PRESLEY

NÉ LE **8 janvier 1935**

DÉCÉDÉ LE **16 août 1977**

PROFESSION **Chanteur de rock**

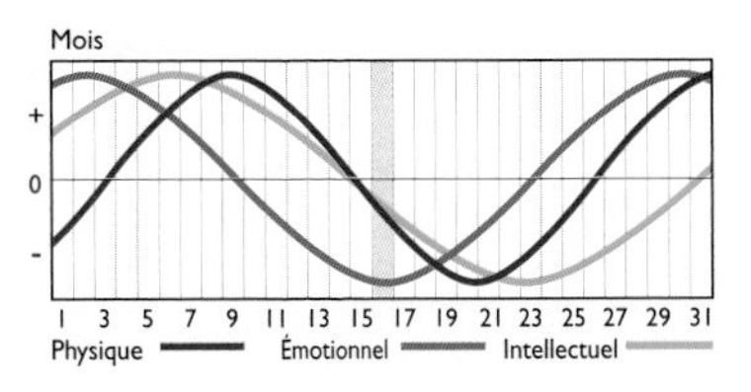

CI-DESSUS ***La courbe d'Elvis Presley mettant en évidence trois cycles négatifs au moment de sa mort.***

Elvis Presley s'est effondré chez lui le 16 août 1977 et mourut quelques heures plus tard. Il se serait suicidé. Il est vrai que ses trois cycles étaient en phase négative.

CI-CONTRE ***Lorsqu'Elvis Presley est mort, ses trois biorythmes étaient en phase négative.***

Il sortait d'un jour critique au cours duquel ses cycles physique et intellectuel étaient tous deux passés en phase négative, tandis que son rythme émotionnel traversait une mini-phase critique négative. D'un point de vue biorythmique, il était donc particulièrement vulnérable.

ABRAHAM LINCOLN

NÉ LE 12 février 1809

DÉCÉDÉ LE 14 avril 1865

PROFESSION Président des États-Unis

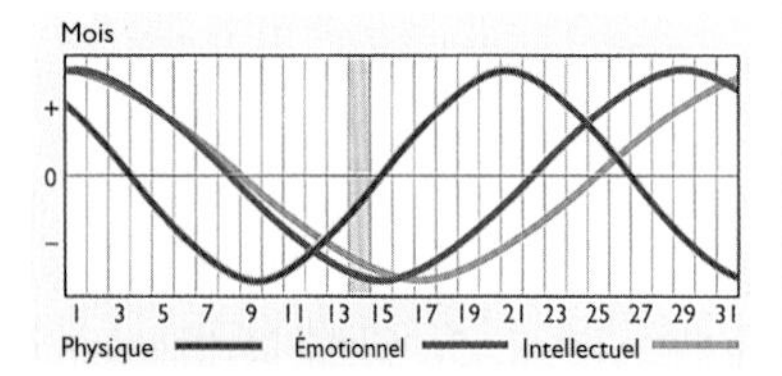

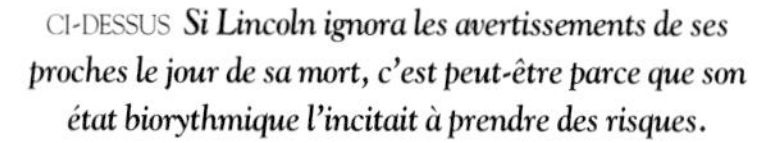

CI-DESSUS ***Si Lincoln ignora les avertissements de ses proches le jour de sa mort, c'est peut-être parce que son état biorythmique l'incitait à prendre des risques.***

Le 14 avril 1865, le président Lincoln assistait à un spectacle au Ford's Theater lorsqu'il fut abattu d'une balle dans la tête tirée à bout portant. Bien que ses amis lui aient conseillé à plusieurs reprises de prendre des mesures de sécurité, il avait décidé de ne pas en tenir compte.

Il fut assassiné moins d'un mois après son second discours d'investiture, au cours duquel il avait développé la signification morale de la guerre de Sécession. Ses paroles avaient suscité beaucoup d'animosité, et ce terrible Vendredi saint, John Wilkes Booth décida de se venger. Ce drame fut d'autant plus tragique que Lincoln, sans doute du fait de son sens de la justice et des valeurs chrétiennes aux-quelles il adhérait, refusait d'admettre qu'il avait des ennemis aussi déterminés. Il avait d'ailleurs refusé la présence d'un garde du corps, considérant cette protection inutile.

Cinq jours avant sa mort, il avait essuyé une double journée critique, ses deux cycles émotionnel et intellectuel étant passés de la phase positive à la phase négative. Son cycle physique était en phase négative. Cette configuration est peut-être à l'origine de son indifférence aux avertissements.

INDIRA GANDHI

NÉE LE 19 novembre 1917

DÉCÉDÉE LE 31 décembre 1984

PROFESSION Premier ministre de l'Inde

CI-CONTRE *Indira Gandhi, Premier ministre indien, fut assassinée en 1984.*

Née le 19 novembre 1917, Indira Gandhi devint la première femme Premier ministre de l'Inde en 1966. Elle fut assassinée le 31 décembre 1984 par ses gardes du corps sikhs. Femme à la forte personnalité, elle ignorait systématiquement les conseils de son service de sécurité qui ce jour-là auraient pu lui sauver la vie.

À l'époque, son rythme émotionnel était en phase critique et ses deux autres cycles étaient négatifs. Avec une telle configuration biorythmique, elle devait se sentir très sûre d'elle, ce qui la poussa sans doute à ignorer les mises en garde de ses proches.

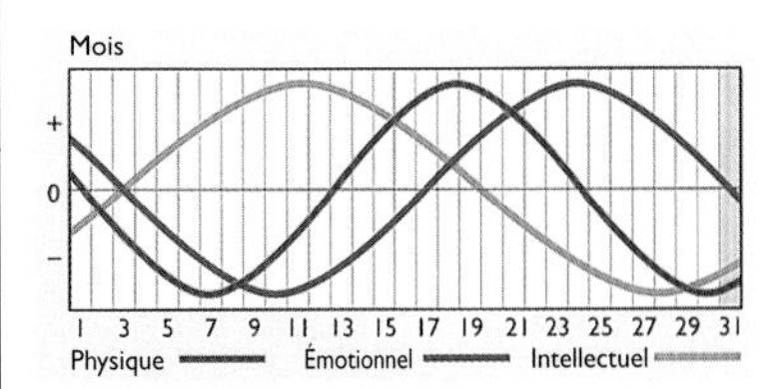

CI-DESSUS ***Le jour de sa mort, l'intransigeance habituelle d'Indira Gandhi fut exacerbée par ses biorythmes.***

EN RÉSUMÉ

La mort violente de ces quatre personnalités contribue à valider la théorie des biorythmes. En effet, l'examen de leur configuration biorythmique révèle que leurs actions ou leurs décisions peuvent avoir été influencées par leur horloge interne.

Lorsque nous connaissons nos cycles biologiques personnels, nous pouvons apprendre à en tenir compte et à nous y adapter, en menant une vie plus satisfaisante à tous points de vue.

Le tracé des courbes

LES GRILLES VIERGES *ci-dessous représentent un mois de 31 jours. Il vous suffit de supprimer les cases inutiles pour les mois plus courts. N'hésitez pas à photocopier cette page pour tracer vos courbes.*

Faites toujours les calculs de base pour le premier jour du mois, parce qu'il est ensuite plus simple de tracer la courbe pour le reste du mois.

Pour dessiner votre courbe biorythmique, il vous faut trois stylos de couleurs différentes : un rouge, un bleu et un vert. Tracez le rythme physique en rouge, le cycle émotionnel en bleu et le rythme intellectuel en vert.

Vous aurez en outre besoin d'un petit rapporteur, d'une calculette et de papier brouillon pour faire vos calculs.

Une fois que vous avez déterminé où se trouvent les différents biorythmes le premier jour du mois, marquez les jours critiques d'un petit point. Reliez ensuite les points de la bonne couleur à l'aide du rapporteur, en allant dans la bonne direction (phase positive au-dessus de l'axe horizontal, phase négative au-dessous de cet axe).

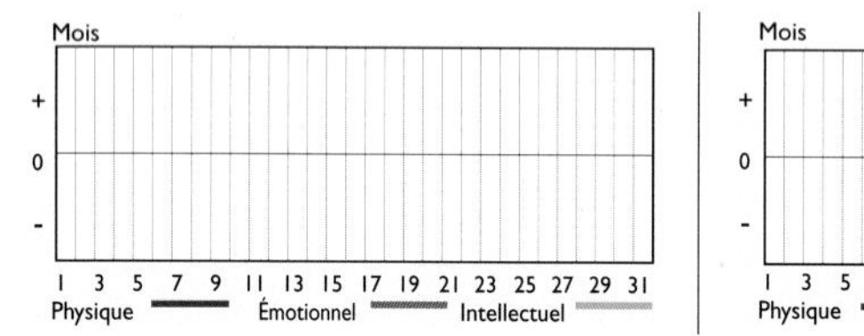

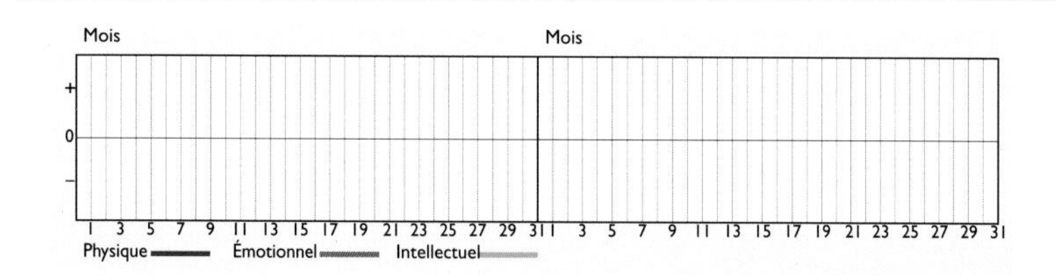

Bibliographie

ABC DES RYTHMES BIOLOGIQUES
Patrick Debarbieux
(Grancher, 1999)

LES RYTHMES BIOLOGIQUES
Alain Reinberg
(Flammarion, 1997)

LES RYTHMES BIOLOGIQUES
Alain Reinberg
(Que sais-je ? n° 734, PUF, 1993)

MIEUX VIVRE AVEC VOS BIORYTHMES
Pauline Clermont et *Virginie Neuville*
(Marabout, 1997)

LA CHRONOBIOLOGIE : VOTRE SANTÉ ET SES RYTHMES
Marc Schwob
(Bourin-Julliard,1991)

LE LIVRE DES BIORYTHMES : COMMENT VOUS SENTEZ-VOUS AUJOURD'HUI ?
Philippe-Henry Préd'homme
(Mutus Liber, 1988)

INTRODUCTION À L'ÉTUDE DES RYTHMES BIOLOGIQUES
B. Millet et *G. Manach*
(Vuibert, 1982)

Dans la même collection

Aromathérapie

En bonne santé par l'alimentation

Essences florales

Homéopathie

La Beauté naturelle

La cuisine santé

La santé par les plantes

L'Alimentation au fil des saisons

L'Alimentation dissociée

L'Alimentation végétarienne

Le Ginkgo

Le Ginseng

Le millepertuis

L'Échinacea

Les Biorythmes

Les remèdes de Dame Nature

Massages

Médecine chinoise par les plantes

Médecines douces

Réflexologie

Shiatsu

Technique Alexander

Vitamines & minéraux

Yoga